COMO O MUNDO VIROU GAY?

Carlos Costa

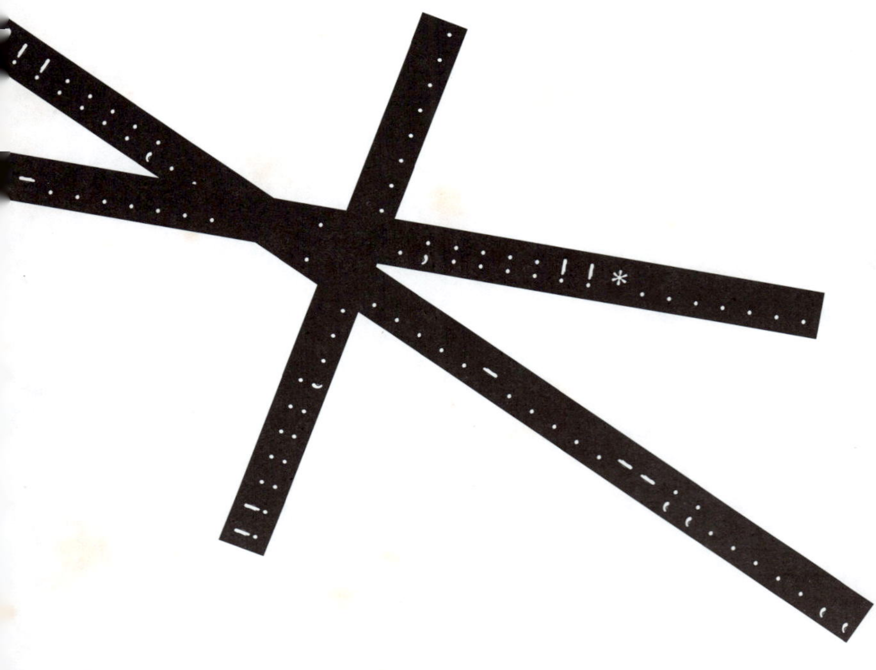

CRÔNICAS SOBRE A NOVA ORDEM SEXUAL

COMO O MUNDO VIROU GAY?

CRÔNICAS SOBRE A NOVA ORDEM SEXUAL

ANDRÉ FISCHER

Ediouro

Diretora: Janice Florido

Editora: Cristina Fernandes

Assistente editorial: Marcus Assunção

Coordenadora de produção: Adriane Gozzo

Assistente de produção: Juliana Campoi

Editora de arte: Ana Dobón

Preparação: Fábio Maximiliano Alberti

Revisão: Rosane Albert

Capa: Kleber Matheus

Projeto gráfico e diagramação: Kleber Matheus e Roberta Cardoso

Dados Internacionais de Catalogação na Publicação (CIP)
(Câmara Brasileira do Livro, SP, Brasil)

Fischer, André
Como o mundo virou gay? Crônicas Sobre a Nova Ordem Sexual / André Fischer. São Paulo: Ediouro, 2008

ISBN 978-85-00-02257-9

1. Homossexualidade 2. Homossexualismo - Aspectos sociais
I. Título

08-07285 CDD-305.90664

Índices para catálogo sistemático:
1. Gays: Grupos Sociais: Sociologia 305.90664
2. Homossexuais: Grupos sociais: Sociologia 305. 90664

Rua Nova Jerusalém, 345 - Bonsucesso - Rio de Janeiro

Cep 21042-235 - Tel.: (21) 3882-8200 / Fax: (21) 3882-8212/8313

www.ediouro.com.br

SUMÁRIO

INTRODUÇÃO

COMO O MUNDO VIROU GAY...

Desde a Antiguidade, com honrosas exceções, homossexuais nunca tiveram vida fácil. Não me venha com a velha história de que na Grécia era tranqüilo ser gay. Um homem mais velho podia ser ativo com outro homem mais novo, que deveria ser passivo, mas só até atingir a maioridade. E olhe lá. O que quer que estivesse fora desses limites era motivo de maledicências. O romance entre dois homens ou a simples inversão de papéis sexuais causava um enorme bafafá na pretensamente liberal sociedade ateniense.

As bibas mais pintosas foram queimadas em fogueiras, enviadas a campos de concentração e presas durante séculos, como se fossem os bodes expiatórios de todo o mal do mundo. Para os mais discretos, só restavam o casamento de fachada, sublimar ou virar religioso.

As explicações para tanto ódio variavam de cultura para cultura. Umas diziam que era preciso procriar para ocupar a Terra – e fugir dessa obrigação era um crime contra a humanidade. Em outras, sem maiores explicações, qualquer coisa além do papai-e-mamãe era considerada um pecado contra Deus.

Ainda assim, este era um tema de que pouco se falava. O termo *homossexual* nem sequer existia até 1869, quando foi usado pela primeira vez em um panfleto contra leis anti-sodomia na Prússia.

Já o termo *gay*, que em inglês quer dizer "alegre" e vem do *gai* francês, foi usado pela primeira vez com o atual significado por Gertrude Stein, em 1922, em seu livro *Miss Furr & Miss Skeene*. Origem muito glamourosa, diga-se de passagem.

À medida que a discussão esquentava e homossexuais ganhavam alguma visibilidade, quase todos os países criaram legislações severas contra a prática homossexual. Enquanto a maior parte das nações civilizadas luta até hoje para se livrar dessas aberrações jurídicas, pelo menos o Brasil pode se orgulhar de ser um dos únicos países do mundo que nunca tiveram uma legislação específica contra gays e lésbicas.

Nos anos 1940 e 1950, o biólogo americano doutor Kinsey elaborou pela primeira vez um vasto estudo sobre sexo e gênero que abalou as estruturas. Ele provou por A+B que não há normas rígidas para o desejo e o comportamento sexual humano e apresentou a popular teoria de que 10% da população mundial gosta da fruta.

No entanto, o que conhecemos como movimento pelos direitos civis gays só começou em 28 de junho de 1969, com a chamada Revolta de Stonewall. Naquele dia, pela primeira vez, um monte de travestis que chorava a morte da diva Judy Garland em um bar do bairro nova-iorquino do Village resolveu protestar contra a violência gratuita de que eram vítimas por parte da polícia e também contra leis absurdas que regulavam detalhes da vida privada, como aquelas que proibiam que uma pessoa usasse mais de uma peça de roupa do outro sexo ou que dois homens dançassem de rosto colado. Isso em plena Nova York, no auge do movimento hippie.

De lá pra cá, o mundo nunca mais foi o mesmo.

A questão dos direitos civis de homossexuais passou a ser uma bandeira não apenas de um pequeno grupo de militantes, mas de políticos e governos sintonizados com o real significado da causa: tornar o mundo um lugar mais tolerante para todos. O casamento ou a união civil entre pessoas do mesmo sexo virou, finalmente, realidade em vários países.

Paradas do Orgulho Gay ao redor do mundo passaram a reunir milhões de pessoas e deram visibilidade inédita à causa reprimida por séculos.

O mercado passou a reconhecer os gays como um dos segmentos mais atraentes e com características específicas que vale a pena estudar para tornar mais rentáveis seus investimentos.

Gays deixaram de ser os vilões que desviavam criancinhas para o mau caminho e já são identificados como pessoas criativas e de bom gosto. Bon vivants que se divertem mais, se vestem melhor, cuidam do corpo, transam e namoram sem maiores problemas.

Com tudo isso, ser gay deixou de ser um problema e passou a ser a solução.

...E COMO SE VIRAR DENTRO DELE

Este livro traz uma luz para os héteros que ainda não sabem o que fazer nesse mundo cada dia mais gay e para aqueles que precisam apenas de um empurrão para se encontrar. E também para quem já é gay e quer saber um pouco mais sobre sua história. Paquera, namoro, casamento, sacanagem... o que interessa de verdade está contemplado nas páginas a seguir.

De remédios contra o preconceito a um glossário para entender gírias e expressões do mundinho. Tudo para se localizar melhor e entender o contexto dessa revolução de costumes. E ainda um histórico ano a ano, desde o começo da Parada Gay de São Paulo – o maior evento do gênero do planeta – até os principais avanços legais da comunidade GLBT, depoimentos sobre os clubes que fizeram a noite GLS paulistana e os momentos mais marcantes de personagens gays na tevê brasileira.

Este livro é composto de textos revisitados que foram publicados na *Revista da Folha* e na *Ilustrada* entre 1996 e 2006, de posts reeditados do meu blog no portal *Mix Brasil*, de 2002 a 2008, e de vários outros escritos inéditos.

No final, compartilho ainda partes do meu diário particular de viagens pelos quatro cantos do mundo, que me ajudaram a ter uma melhor perspectiva do que se passa em termos de cultura e identidade gays.

1. PÓS-GAY

NOVA ORDEM SEXUAL

Surgem sinais de uma nova ordem social talhada para o milênio que se inicia. O século passado começou com as sufragistas exigindo direitos iguais para homens e mulheres. Depois vieram a pílula e a revolução sexual, que levantaram a bandeira do amor livre nos anos 1960, seguidas pelo culto ao corpo dos 1980. Por questões de saúde pública, a disseminação da Aids forçou o mundo a falar abertamente sobre sexo e deu impulso à mobilização de homossexuais em torno de luta por direitos civis, o que desaguou na inédita articulação e visibilidade de gays e lésbicas a partir dos anos 1990.

A sociedade se conscientizou de que existem outras possibilidades de relacionamento, e legiões de homens e mulheres, hétero, homo, trans, bi ou pansexuais, começaram a experimentar novas fórmulas de namoro e casamento.

Em artigo publicado na *Newsweek*, James Collard (o editor inglês da *Out Magazine* que mudou a cara da maior revista gay do planeta em meados da década de 1990) se posicionou a favor de uma nova postura dos homens gays, que ele chama de "pós-gay".

Segundo Collard, as pessoas já estão se cansando da ditadura estética Barbie e não querem mais ser colocadas em gavetas em função de sua orientação sexual.

"Seria como rotular os consumidores de McDonald's apenas por seus hábitos alimentares", conclui.

Essa nova ordem sexual aparece à nossa volta: nas boates, gordinhos se sentem confortáveis em tirar suas camisas. Heterossexuais se livram de preconceitos e freqüentam ambientes gays. Os leathers – sadofetichistas que usam couro e se atraem por outros que também usam couro – encaram todos os homens como uma grande comunidade onde não existem vínculos amorosos exclusivos.

Um crescente número de mulheres assume a vida sem parceiros fixos e foge do modelo familiar tradicional.

Um conhecido publicitário paulista, simpatizante hétero convicto, lançou o adesivo "Eu quero ficar sozinho", identificando a necessidade de negar a realização por meio do outro.

Aos que conseguem escapar da armadilha da solidão depressiva, a tal Nova Era parece anunciar um novo momento, mais solto e desencanado, onde todos são de todos e ninguém é de ninguém.

Nesse novo mundo, *histórias reais* de adolescentes que começam a dar as caras mostram que esse é um caminho sem volta.

Como a do sobrinho de um amigo, de quinze anos, que se assumiu para a mãe e está bastante seguro do que fez. Ela reconheceu que se o filho está bem resolvido, ela é quem tem de se resolver, e por isso decidiu procurar um terapeuta para ajudá-la.

Os pais de Maria estão separados desde que ela nasceu. Voltaram a se falar amigavelmente para produzir uma superfesta comemorativa do seu primeiro aniversário. Boa parte dos presentes que Maria ganhou foi dada pelos amigos gays de seus pais, que compareceram em peso. Alguns deles são escalados para fazer *baby sitting* e adoram o programa.

Marcelo tem 14 anos e acha que já está grandinho o suficiente para ficar sozinho em casa enquanto os dois pais adotivos vão viajar para comemorar os vinte anos que moram juntos. Eles, no entanto, pensam que ainda é cedo e estão decidindo com qual das duas avós vão deixá-lo durante a viagem.

Wagner não perde um episódio de *Queer As Folk*. Ele não ficou com nenhum rapaz, só deu um beijo em um carinha numa matinê. Ele garante que aprendeu a beijar assistindo ao seriado.

Desde que o carro de Alex, de 19 anos, foi roubado, o namorado tem ido dormir no seu quarto. Seus pais ficam mais tranqüilos sabendo que o filho não corre o risco de ser assaltado na rua.

Camila foi viajar com a namorada, a melhor amiga e a mãe. As "meninas" passaram uma semana fazendo compras em Nova York.

Luiz está morrendo de ciúme do carinha com quem está saindo, que insiste em convidar a ex-namorada para irem os três juntos à Loca.

Às vezes é difícil para gays e lésbicas adultos, que tiveram de descobrir sua sexualidade sem o apoio de uma mídia GLS, acompanhar a mudança de comportamento de crianças e adolescentes. Até poucos anos atrás não havia internet, livros, programas de tevê nem filmes falando sobre o tema de forma natural.

Ao que tudo indica, vem aí uma geração mais aberta à diversidade e mais simpatizante, que está crescendo consciente de que há outras possibilidades de expressão sexual e afetiva.

Isso se traduz na promessa de menos traumas, mais cidadãos bem resolvidos, menos violência e mais compreensão. E, tomara, no fim das definições compulsórias que insistem em tirar as pessoas de armários para simplesmente acomodá-las em gavetas.

Veja, por exemplo, os bissexuais: tecnicamente definidos como pessoas que se relacionam sexualmente com indivíduos de ambos os gêneros, costumam ser vítimas de preconceito de todos os lados. A maioria dos homossexuais nega a sua existência, dizendo que o/a bissexual nada mais é do que um/uma gay/lésbica enrustido/a, sem coragem de assumir sua real vocação. Do outro lado, o bissexual aparece para heterossexuais como um traidor da pátria ou um bicho-papão que pode a qualquer momento pular o muro.

Entre mentes mais abertas, é consenso que bissexuais bem resolvidos e assumidos são o ideal da liberdade e realização sexual, já que têm o dobro de opções para aventuras e relacionamentos.

Tecnicamente, somos todos bissexuais, pois viemos equipados física e psicologicamente para fazer sexo com homens e mulheres. Uma aventura homossexual eventual não torna ninguém bissexual de carteirinha, assim como um passado remoto heterossexual não justifica manter o título.

Muitos ainda se sentem mais confortáveis em se assumir bissexuais. Bom para eles/elas. Também posso me sentir identificado com minhas remotas raízes judaicas, o que não torna meu sangue mais ou menos judeu. Mas, se a identidade bissexual é mais tranqüila para uma pessoa, por que negar a ela esse direito? Se alguém que é homo quiser dizer que é bissexual, deixe-o ser feliz dessa forma, que já é bem melhor do que ficar se escondendo atrás de uma falsa heterossexualidade.

MAS SERÁ QUE, UMA VEZ FLAMENGO, SEMPRE FLAMENGO?

Para tentar justificar a inexistência de ex-gays, um amigo costuma dizer que nunca viu ex-anão. Vale pela gracinha, mas não posso concordar. Ninguém é obrigado a se comprometer com uma opção. Acredito na completa mobilidade sexual do "vamos ver" na cama. Para que se comprometer com rótulos e papéis determinados?

Perdoem-me os que pensam o contrário, mas quem não está aberto a novas possibilidades só se limita e perde belas oportunidades.

O mesmo pode se aplicar a comportamentos sociais e preconceitos que vêm de dentro da própria comunidade. Por que, por exemplo, muitos não aceitam que um *gay possa gostar de futebol*?

Na última Copa, estava assistindo a um jogo emocionante entre duas equipes européias quando recebi o telefonema de um conhecido. Perguntei se era assunto urgente, já que a partida estava em um momento decisivo da prorrogação. Do lado de lá ouvi um riso debochado, quase uma descompostura. Perguntou se eu estava vidrado nas coxas dos italianos, pois teoricamente não deveria gostar de futebol.

Segundo ele, apenas héteros radicais e lésbicas podem ser aficionados pelo esporte. Por conta dessa demonstração de preconceito sem sentido, perdi o gol que levou a Azzurra a uma inesperada classificação para a final.

É preciso dizer a esse cidadão que a orientação sexual não é um pacote fechado. O mapeamento do genoma humano não encontrou nenhum cromossomo responsável pela forma como o tesão se manifesta. Logo, o desejo sexual não determina gostos nem caráter.

Não existe um padrão de comportamento para negros, para fumantes ou para italianos, assim como não existem formas estandardizadas de agir e querer para gays e lésbicas. Conheço tanto homo e bissexuais "óbvios" como os que "ninguém diria", da mesma maneira que conheço fúteis e profundos, tarados e quase assexuados. Até gays malvestidos e malufistas existem.

Os estereótipos podem até ajudar aqueles que estão perdidos em busca de uma identidade e são responsáveis pela existência de uma pequena multidão de impagáveis figuras burlescas que povoam a chamada comunidade GLBT. Comportamentos previsíveis facilitam a vida apenas dos que se orientam por rótulos e podem representar mais uma prisão para os que caem nessa armadilha.

Ceder a referências preconcebidas significa abrir mão da possibilidade de desenvolvimento de uma personalidade própria. São as nuances que tornam as pessoas únicas e interessantes.

O mais impressionante é ver homossexuais teoricamente bem resolvidos reproduzindo esse tipo de pensamento antiquado. Nessas horas, sou obrigado a cair na real e lembrar que muitas vezes gays e lésbicas são mais caretas do que muito careta por aí.

É preciso *não confundir gay com comportamento sexual.* Ser gay é mais do que simplesmente transar com alguém do mesmo sexo. Um adolescente que faz troca-troca ou um pai de família que dá suas escapulidas em uma sauna não podem nem devem ser confundidos. Classificá-los como bissexuais também pode ser um exagero e provavelmente só irá confundi-los e irritá-los.

Se é para comprar briga, melhor chamar de boiola de uma vez.

Só é gay quem quer, quem opta por um estilo de vida do qual a homossexualidade é apenas um dos pilares. O cineasta francês Jean-Michel Guiguet vai além e diz que não existe homossexual, apenas a homossexualidade como um comportamento sexual. E que a rotulação deixa de lado muitas sutilezas importantes. Como poderiam ser chamados os homens que fazem amor e se relacionam com as mulheres de forma extremamente feminina?

Em que gaveta deve ser colocada a mulher-veado (diferente da mulher-bicha, que está mais para uma drag queen presa no corpo de mulher), que se aproxima dos homens como um homem gay faria e se excita ao ver dois homens fazendo sexo?

Esses tipos "intermediários" são a essência do que chamamos diversidade sexual.

"NEM PARECE" NÃO É ELOGIO

Mesmo sendo muito bem resolvido com relação à minha sexualidade, confesso que até hoje escuto intrigado o famoso "não parece", geralmente dito em tom de elogio. Não demonstro satisfação, nem deveria, pois ao aceitar o comentário de maneira positiva reafirmo estereótipos que tanto combato.

Se estiver de ovo virado, posso até dar o toque sobre o preconceito velado contido nessa sentença. Não posso negar que esse tipo de confirmação do status de macho costuma fazer bem ao ego. Vivemos em uma sociedade que aprecia esse tipo de postura e, mesmo entre os gays, os mais "masculinos" costumam ser valorizados sexualmente.

No entanto, se alguém identificar minha orientação sexual de cara não vejo problema nem vou me aborrecer. Pelo contrário, facilita muita coisa. Com exceção de cretinos e despeitadas, ninguém fará um comentário desairoso com relação a homossexuais na sua frente, se estiver claro em que time você joga. E ainda descomplica o reconhecimento de quem interessa.

Parecer gay não é nem deveria ser algo pejorativo. Poderia ser comparável a chamar alguém de "alemão" por ser louro. Apenas a constatação de uma característica pessoal. Não conheço quem se ofenda por ter explicitados seus traços nórdicos.

Difícil é aceitar a generalização, dizer que gays são assim ou assado. Existem vários tipos de gays e lésbicas, com estilos de vida muito distintos, comportamentos que vão do careta ao doidão, do bofão de corrente de ouro à moninha quá-quá. Em comum, temos a experiência do preconceito, ainda presente em maior ou menor escala, e elementos de uma subcultura que ancora uma espécie de identidade.

Um homossexual pode até não gostar da Madonna, mas seguramente está mais bem informado sobre suas músicas, seus experimentos capilares e seus maridos do que qualquer heterossexual. Esses ícones culturais GLS funcionam como uma espécie de esperanto, permitindo que, em qualquer lugar do mundo, possamos iniciar uma conversa ou nos reconhecer. Existem lá suas vantagens em ser gay. Desfrute-as em vez de repetir chavões.

PARA QUE REPRODUZIR PRECONCEITOS TOLOS?

Sapatonas são briguentas, mal-humoradas, nunca tiveram um homem que lhes satisfizesse, vestem-se mal, são insensíveis e gordas. Toda bicha é fútil, escandalosa, tem o riso frouxo, não teve uma figura paterna forte, só pensa em homem e gosta de apanhar. Bissexuais são giletes, não são confiáveis, são homossexuais enrustidos/as, passam Aids para os/as parceiros/as e têm sérios distúrbios de identidade. As travas são todas prostitutas, aidéticas, têm o órgão sexual na cabeça, andam armadas e agridem qualquer desatento que cruzar seu caminho.

Não bastassem todos os julgamentos preconceituosos a que gays, lésbicas, bissexuais e transexuais são submetidos, há ainda aqueles que queiram reforçar as "irreconciliáveis diferenças" entre esses subgrupos.

Sensibilizado pelo clima beligerante, ouvi chocado a afirmação de que a verdadeira guerra de sexos não se dá entre homens e mulheres, mas entre gays e lésbicas, "apesar de estarem do mesmo lado da trincheira".

Infelizes os que vivem e internalizam essas burrices. Gays misóginos que não se misturam com lésbicas, lésbicas que não lêem o que gays escrevem, bissexuais que têm dificuldade de se relacionar com gays e travestis que não suportam a presença de lésbicas. Coisas de uma velha-guarda que não entende a mudança dos tempos.

O grande risco nesses tempos de nervos à flor da pele é ceder à tentação de julgamentos precipitados.

Apesar de gays, lésbicas, bissexuais e transexuais serem um grupo com origens, estilos e interesses distintos, todos compartilham, em maior ou menor grau, um histórico comum de repressão e convivência com a diversidade. E grande parte encontra refúgio em uma cultura que tem como referência principal a perspicácia e o bom humor como armas contra o preconceito.

Felizmente esses rancores não encontram eco na nova geração que, em geral, se recusa a reproduzir esse apartheid sexual e promete acabar num futuro próximo com divisionismos insensatos.

Muita gente antecipa esse amanhã e brada desde já que todo mundo seria gay – pelo menos bissexual. Esse entusiasmo geralmente vem de pessoas que acabaram de sair do armário e ainda estão descobrindo que não são as únicas que sentem desejos por pessoas do mesmo sexo. Ou então de quem vive confinado no gueto. Tecnicamente pode até ser verdade, já que viemos todos equipados para desfrutar de todas as variações do sexo. Troca-troca na infância não conta; deixar-se seduzir em avançado estado etílico também não.

O movimento gay americano fez montes de pesquisas, e hoje trabalha com a taxa de 6,5% de homossexuais entre a população total dos Estados Unidos. Talvez esse número chegue a 15% no caso dos paulistanos e 20% entre os campineiros.

Esse excesso de otimismo dos que pensam que o mundo é gay às vezes pode ser confundido com imaturidade. Na generalização, gays e lésbicas acabam sendo acusados de se manterem eternamente adolescentes pelo fato de não construírem uma vida "adulta" dentro dos parâmetros que a sociedade espera. Tudo pode ser visto de outro ângulo.

Existe certa ingenuidade em todo heterossexual convicto advinda da ignorância a respeito do sexo oposto que, teoricamente, é seu foco de conquista. Eles não sabem o que elas sentem; elas não conseguem entender o que eles pensam. Podem falar da inconstância, mas relações homossexuais possuem potencial intrínseco para a maturidade. Compartilha-se desde o início uma imensa bagagem comum, e o espelho força uma compreensão mais íntima. Não há perda de tempo na descoberta de uma psique distinta, e os jogos são desmascarados com mais facilidade. Como os papéis não são claramente definidos (como na relação homem/mulher), há todo um território adicional a ser ocupado e referenciais a serem construídos pela própria experiência.

Tudo na vida tem dois lados, e simplificar implica sempre reduzir.

VAMOS PENSAR EM UMA HIPÓTESE...

Em um futuro mais ou menos distante, a homofobia acabou no mundo civilizado. Se não acabou completamente, virou algo politicamente incorreto e praticamente banido, como o preconceito contra judeus. Ele existe ainda, mas, fora do mundo islâmico, é possível viver sendo judeu sem ser perseguido ou perder o emprego por isso. Nada parecido com o preconceito que a maioria dos homossexuais ainda vive hoje em dia. Mas vamos lá: acabou a homofobia. Todo mundo pode viver livremente sua sexualidade. Ninguém vai bater em você na rua se der pinta, pais não expulsam filhos de casa só por isso.

Muitos vão poder se assumir, não terão mais que se esconder, e com isso gays e lésbicas serão muito mais visíveis do que hoje. Só que provavelmente a maioria da população vai continuar heterossexual. Arriscaria afirmar que mais da metade não seria nem bissexual.

Nesse futuro sem homofobia o coió pode deixar de existir, mas por um bom tempo a heterossexualidade será o padrão. Judeus podem celebrar abertamente suas festas, mas os feriados religiosos no ocidente continuam sendo os cristãos. Mulheres se libertaram formalmente do jugo machista, mas é considerado bacana deixá-las entrar e sair na frente.

Lugares exclusivamente gays vão diminuir em número, mas ainda vão existir. Da mesma maneira que, quando você quer rezar ou meditar, escolhe entre uma igreja ou um templo, ou, se gosta de sertanejo, vai para os lugares que tocam este tipo de música.

Como ficará a vida no vestiário da academia, por exemplo? Todos sabem que você é gay. Vai poder olhar abertamente o pau do cara? Se ficar pelado na frente dos outros também tiver deixado de ser um tabu – como acontece nas saunas escandinavas – criará um leve mal-estar.

Em algumas situações de convivência íntima entre pessoas de sexo igual e orientações sexuais diferentes, o armário continuará fazendo parte do mobiliário social, com ou sem portas, mesmo que limitado a algumas situações específicas.

Não concordo, apenas prevejo.

OS METROSSEXUAIS

Março de 2001

A *Vogue Hommes International* que está nas bancas de Paris traz artigo sobre um novo grupo cada vez mais comum nas metrópoles ocidentais: os metrossexuais, homens cujo compromisso com a modernidade está mudando o estereótipo do macho tradicional.

Independentemente da orientação sexual, têm sexo como o valor fundamental; vivem sozinhos, gastam boa parte do orçamento com design e roupas, não acompanham a crônica esportiva e não sabem nem trocar uma lâmpada. Estão mais próximos da antiga definição de sexo frágil e são uma resposta dos tempos à nova mulher executiva, forte, que cada vez mais assume valores tradicionalmente masculinos.

A definição de identidade desse novo personagem urbano está justamente na indefinição de sua sexualidade, o que não quer dizer que ele seja bissexual. Muito pelo contrário. Pode parecer um conceito etéreo, mas promete tornar mais leve o peso da forma de fazer sexo, e com quem se faz sexo.

Para comprovar a tendência, o Channel 4 inglês vem obtendo sucesso de audiência com seu seriado *Metrosexuality*, que conta a história do filho hétero de um casal gay cujos melhores amigos também são gays. O programa se vende como polissexual, conceito que substitui o antigo pansexual, cuja raiz etimológica faria supor uma atividade sexual exacerbada.

O MACHOSSEXUAL

Março de 2006

Artigo publicado no *Hindustan Times*, um dos principais jornais da Índia, apresentou um novo personagem da cada vez mais complexa malha de personagens urbanos: o machossexual. Bem tratado e musculoso, o que diferenciaria o machossexual do metrossexual, ambos teoricamente heterossexuais, seria basicamente o fato de o macho não assumir os inúmeros cuidados que toma com seu corpo, apesar de passar ainda mais tempo na frente do espelho do que seu primo de primeiro grau. Em outras palavras, é um metrossexual enrustido, posto que esse tipo, que marcou a imagem do homem da virada do milênio, muitas vezes acabou sendo confundido com um gay enrustido.

O machossexual pode até se depilar, mas encontra desculpas como problemas de pele ou exigência da namorada para fazê-lo. O cabelo é longo, e o gel usado com fartura (o que pode parecer cafona para nossos padrões, mas extremamente na moda entre os ídolos de Bollywood). Nada de sobrancelhas depiladas, e a barba aparada constantemente com máquina um ou dois é um *must*. Não usa esteróides para aumentar a massa: o corpo trabalhado cresce mais vagarosamente e de maneira natural.

Não consome grifes famosas nem discute moda, (fingindo que) não acompanha a movimentação do mundo fashion. Geralmente, opta pelo look esportivo ou militar, raramente fugindo do básico – apesar de esse estilo ser meticulosamente estudado antes de sair de casa.

Resumo da ópera: assumida ou trancada no armário, a vaidade masculina é, mesmo para o mais espiritualizado dos povos, um caminho sem volta.

2. OS HÉTEROS DEVEM ESTAR LOUCOS

HÉTEROS ENRUSTIDOS E HOMENS LÉSBICOS

É possível estabelecer algum tipo de limite para o impulso sexual humano? Existe atração independente de gênero?

O recente envolvimento de um amigo com uma mulher tem sido motivo de inflamadas discussões. Ele é, ou era, homossexual e está vivendo uma paixão que, por força das circunstâncias, começou às escondidas para evitar maledicências. Já passei por essa situação e sei que as cobranças são enormes, tanto por parte de gays como de héteros, caretas que têm dificuldade em aceitar o livre trânsito do desejo e se sentem ameaçados por essa liberdade.

Nesse caso polêmico especificamente, sempre acreditei que ele fosse um heterossexual enrustido. Sua necessidade prioritária de um relacionamento estável nos moldes tradicionais (que incluem monogamia, ter filhos e constituir patrimônio comum) é mais fácil de ser atingida com uma mulher. Ativistas gays e feministas que me perdoem, mas é evidente que mulheres buscando casamento existem em proporção ainda maior do que homens que fogem dele, independentemente da orientação sexual.

Por outro lado, conheço héteros convictos que adorariam virar homo ou bissexuais, basicamente pelo glamour da vida gay e maior facilidade de encontrar parceiros sexuais. O que os impede de mudar de time é simplesmente a inegável atração pelo sexo oposto. E isso vai mudar a própria forma como lidam com seus corpos.

Há alguns anos acompanho de longe a trajetória de um rapaz do qual nem sequer sei o nome. Desde que o vi pela primeira vez fiquei impressionado com a beleza de seus traços pós-adolescentes e as linhas perfeitas do seu corpo tatuado. Com o passar do tempo, venho assistindo com pesar seu rosto ficando cansado, os quilos se acumulando e o cabelo rareando.

O belo garoto se transformou em um homem casado que, como a maioria dos machões, não soube administrar os predicados que a natureza lhe deu.

Não fosse ele hétero, provavelmente estaria cuidando da barriga acintosa, já teria começado a cuidar da pele e ao menos passado a máquina na cabeça.

Sem apologias, os gays simplesmente dão maior valor a certos presentes de Deus.

Não é à toa que cresce em proporção geométrica o número de mulheres que se interessam, mesmo sem esperança alguma, por homens que não escondem sua orientação, e ainda assim elas parecem não se importar. Ou fingem que não estão percebendo. Será?

Em uma conversa sobre aceitação de amigos gays, uma jornalista famosa afirmou que nunca tocou no assunto com nenhum de seus colegas homossexuais. Quando falei da importância de receber apoio explícito de amigos heterossexuais, ela se mostrou surpresa e disse que nunca havia pensado nisso. Eles não precisam nem pensar em uma série de questões com as quais lidam o tempo todo. Aceitação é uma delas. Até falar abertamente sobre sua homossexualidade com alguém, você não sabe o que realmente pensam a seu respeito.

Será que héteros, mesmo os mais simpatizantes, se dão conta dos detalhes do cotidiano que complicam a vida da maioria dos gays e lésbicas?

Ter que represar em público o afeto pelo ser amado. Ao terminar um romance, ser forçado a fingir que nada aconteceu. Ser obrigado a mentir sobre o nome da pessoa por quem se está apaixonado. Habituar-se ao medo de ser flagrado em um bar que freqüenta. Não poder apresentar amigos à família. Viver eternamente com o estado civil inalterado. Ser vítima de uma das mais covardes manifestações de ódio, a violência homofóbica. Dissimular sua orientação sexual em entrevistas de emprego e, se for contratado, ter que criar uma vida dupla fictícia para uso profissional. E por aí vai.

Muitos dos que se consideram simpatizantes pelo simples fato de se divertirem na Parada Gay ou darem risada com a bi cabeleireira deveriam entender que ser simpático à causa GLBT significa um pouco mais que isso. Ser desencanado com relação à sexualidade alheia e aceitar a máxima "cada um, cada um" já é um avanço em uma sociedade ainda pouco tolerante como a brasileira. Mas não é suficiente para o amigo hétero fazer a diferença.

Os simpatizantes deveriam sair do armário e se tornar mais atuantes. Não é preciso muito. Não rir de piadas preconceituosas e cumprimentar com gentileza aquele casal de bolachas vizinhas já pode ser um bom começo.

Nem que seja para dar um furo com outros héteros de verdade que parecem ser gays.

Sabe aquele tipo?

O cara não pode ser mais bicha. Dá a maior pinta, ri feito moça, de tanto mexer no cabelo desenvolveu um tique nervoso e parece um editorial de moda ambulante. Além disso, não sai da rua da Consolação.

Ou então uma mina que não pode ser mais macha. Pisa forte, fala grosso e não liga a mínima para o que veste. É corintiana roxa e dá sempre uma passadinha na alameda Itu.

Apesar de parecerem óbvios, o cara e a mina têm um desvio sexual: preferem ficar com pessoas do sexo oposto. São os famosos pista-falsa, figuras que sofrem discriminações por todos os lados e o incômodo de serem constantemente paquerados por quem não querem. E, pior de tudo, são alvo da constante catequese dos que acreditam que devem se assumir.

Alguns são casos clássicos de armário. Mas nem todos. O que eles podem fazer se não controlam o tesão? Libido e aparência nem sempre andam juntos, e é preciso reconhecer que essa cisão existe. E não é rara.

O importante é que eles não se ofendam com quem os confunde. Afinal de contas, parecem mesmo ser outra coisa. Nem que se deixem reprimir pela chatíssima patrulha sempre disposta a converter, para um lado ou para outro, qualquer tipo suspeito.

Se existem homens que gostam de ciborgues siliconadas e travestis casadas com mulheres, porque não respeitar o direito de cada um de praticar seu desejo como bem entende?

Qual gay nunca teve aquela amiga do peito, inseparável?

O perfil delas segue mais ou menos um padrão: outsiders, seja física ou comportamentalmente, desiludidas com os homens hétero e encantadas com o mundo GLS.

Na adolescência são figuras fundamentais para a auto-estima: ele valoriza suas qualidades, muitas vezes ocultas para a maioria dos garotos héteros, e ela, comumente apaixonada em segredo pelo amigo, o considera melhor que os outros.

Essa parceria é boa e fortalece os dois envolvidos em períodos importantes da vida, mesmo após os anos teen.

A amiga costuma segurar melhor a onda dos queixumes em momentos de dor de cotovelo, afinal de contas as mulheres adoram falar sobre paixões e relacionamento, e os amigos gays, homens acima de tudo, têm certa preguiça para se alongar sobre o tema.

E não há homem heterossexual que segure programas como ir ao shopping e se alongar em assuntos considerados, por eles, fúteis.

A sociedade só implica riscos maiores quando evolui para uma relação de exclusividade e passa a travar as possibilidades de namorados para ambos. Para a mulher, sobretudo, é preciso que isso fique claro. Para o homem sempre está.

O ciúme existe, como em toda relação, mas deve ser controlado.

Porque, por maior que seja a amizade e o carinho entre os dois, desse mato não sai cachorro.

E, no final das contas, somos homens. É uma simples questão hormonal. Elas podem até saber conscientemente que nada vai acontecer, mas há algo lá dentro que diz que temos o que elas querem e que, se quiséssemos, daríamos conta do recado melhor que qualquer bofão insensível. E esse jogo de poder tem lá sua graça.

Somos agentes duplos

Ter um amigo gay não deixa de ser um caminho para entender a psique masculina e ajudar a decifrar o sexo oposto. Quando ela tem certeza da macheza do seu homem (a experiência diz que não deveria ter), pode confiar em seu "brother" para intervir a seu favor.

Somos pacientes com a sogra

Como bons amigos, geralmente nos damos bem com a mãe dela e até achamos graça das ranhetices da velha.

Garantimos noites divertidas

Não é lenda. Os gays se divertem mais, escolhem os melhores filmes, dançam melhor, conhecem pessoas mais glamourosas, costumam saber o dia certo para ir a cada lugar. Sem dúvida, a melhor opção, se o objetivo não for conseguir sexo. Nesse caso, é melhor baixar as expectativas e ir àquele barzinho uó mesmo, ouvir Prince e rezar para aparecer um garanhão que a tire dali.

Sempre oferecemos uma esperança de conversão

Na maioria dos casos é uma perda de tempo, mas a verdade é que às vezes acontece. Só que vale uma dica: não dê uma de machão e force a barra no ataque. Somos homens e não gostamos de nos sentir como garotinhas violentadas.

Compartilhamos cuidados com a pele e entendemos de dietas

Quer coisa pior do que aqueles caras que querem as mulheres gostosas, mas não dão valor ao sacrifício que elas fazem para manter a linha? Acompanhamos os avanços da ciência da cosmética e podemos trocar informações sobre tratamentos e produtos.

Não precisam fingir interesse por assuntos medíocres

Essa é a melhor parte: não precisar disfarçar sono por assuntos fora de sua órbita (como futebol) ou esboçar um sorriso para aquelas piadas sem graça que os héteros costumam contar nas piores horas. Os gays podem ter milhões de defeitos, mas timing parece ser algo inerente à orientação sexual.

Podem confiar na nossa amizade

Se o cão é o melhor amigo do homem, a mulher é a melhor amiga do gay. Ao contrário de amigos heterossexuais, que em geral são ex-namorados, ex-maridos ou ex-pretês, a amizade é baseada em relacionamentos quase familiares, que lembram a irmã, a prima ou a tia favorita em quem podemos/queremos confiar.

SINUCA DE BICO

Quando jogo sinuca vejo como faz diferença quando consigo me concentrar no pano verde. Com a mente limpa, consigo encaçapar várias bolas seguidas, uma coisa Ruy Chapéu. No entanto, uma mesa repleta de adolescentes falando sobre suas ficadas foi capaz de me dispersar por completo. Foi o que aconteceu dia desses no Ora Bolas, snooker meio roqueiro na Pompéia.

Eram cinco meninas e dois meninos, todos com seus 17, 18 anos, falando sobre baladas (o termo era empregado a cada duas frases – parecia uma caricatura), até que, depois de algumas cervejas, começaram a liberar detalhes sobre quem já haviam beijado.

Todas as garotas admitiram ter beijado outras meninas; três delas, inclusive, já haviam se beijado entre elas. Tudo dito com uma naturalidade incrível. Elas começaram então a pressionar os garotos para contar se já haviam beijado outros rapazes. Um deles admitiu que já havia ficado com um carinha uma vez, bêbado depois de uma balada. O outro corou e fugiu da raia. Justamente o que me parecia ser gay.

Nem preciso dizer que enquanto falavam mandei duas brancas na caçapa.

Impressionante como os adolescentes, pelo menos os da região central de São Paulo, são mais tranqüilos com relação a sexualidade. Não se fecham em conceitos estáticos e antigos, parecem mais abertos a experimentar e falar sobre isso.

Precisamos nós, adultos não-caretas, mas criados quando ainda havia repressão, independentemente da orientação sexual, aprender a lidar de forma natural com essa nova realidade. Ficar incomodado ou surpreso é pura inveja.

EX DE GAY

Percebi que uma conhecida passou a me tratar de maneira estranha. Nunca fomos íntimos, mas sempre simpáticos nos sociais da vida.

Ela foi casada durante anos com um amigo que assumiu publicamente sua homossexualidade logo após a separação. Como nunca tive maiores contatos com ela, acredito que o motivo para esse comportamento, no mínimo frio, esteja ligado, de alguma forma, ao fato de ter sido trocada pela honestidade sexual do ex.

É verdade que logo após o afastamento do casal estreitei minha amizade com ele, que me procurou como uma referência à sua nova identidade social, e que até pintou um clima. Juro que nada (ou quase nada para ser 100% sincero) aconteceu. E mesmo que tivesse acontecido, não importa mais.

Nos últimos tempos do casamento meu amigo já vinha pulando a cerca com uma grande freqüência, e era impossível que a mulher não percebesse. Era público e notório.

Mas ela precisa buscar bodes expiatórios para sua incapacidade de aceitar que o homem que ama não a deseja mais. Eu sou um dos que acabam pagando o pato. Será que ela enxerga homens e mulheres bem resolvidos com sua sexualidade como uma ameaça à sua integridade heterossexual e/ou a de seus parceiros?

Será que ela se cercava de amigos gays só para posar de simpatizante e ficar bem socialmente?

É na hora que aperta o calo que vem à tona uma homofobia até então disfarçada por força das circunstâncias.

GAYS DE ESPÍRITO

Março de 2004

Cena 1. Encontrei um amigo em um sofisticado restaurante dos Jardins com um divertido grupo de seis homens, todos na casa dos cinqüenta, que me pareceram indubitavelmente gays. Usavam gírias do mundinho, vestiam grifes sofisticadas, e alguns tinham até a unha feita. A conversa girava em torno do mundo da moda e fofocas das artes plásticas. Às vezes chegavam a se tratar no feminino. A certo ponto, um deles atende o celular e diz: "É a patroa". Sou o único que ri, acreditando que se referia ao seu companheiro. Antes que a saia justa se configurasse, meu amigo avisa discretamente que todos ali eram heterossexuais casados e com filhos. Um deles era avô de gêmeos.

Cena 2. Fabinho acaba de completar 18 anos, e está começando a freqüentar o underground paulistano. Meio gótico, costuma sair maquiado e de saia preta. Confessou tristonho, em uma noitada, que já apanhou várias vezes na rua, "acusado de ser veado"; e está apaixonado por uma colega de cursinho, que se afastou ao conhecer seus sentimentos. Ela jurava que Fabinho era seu melhor amigo, gay evidentemente.

Não estamos falando aqui de metrossexuais, aqueles tipos heterossexuais mais sensíveis do que a média dos machos, nem de enrustidos, homossexuais que não assumem seu desejo publicamente, e às vezes nem para si próprios.

Ao contrário de muitos gays masculinos, esses homens são freqüentemente chamados de afeminados e possuem o "desvio" de se sentirem sexualmente atraídos por mulheres. São vítimas de preconceito, discriminados por homos e héteros. Boa parte das mulheres tem dificuldade em aceitá-los, talvez por se sentirem um pouco lésbicas ao sair com homens muitas vezes mais femininos que elas próprias.

Até que ponto o comportamento social está necessariamente atrelado à sexualidade? Se mulheres podem gostar de mulheres, por que homens femininos necessariamente devem gostar de homens?

Reconhecer a existência de uma miríade de possíveis manifestações da libido e respeitar todas as expressões de afeto é o melhor caminho para a sociedade se engajar na busca de uma convivência mais harmoniosa.

MÃO À PALMATÓRIA

Maio de 2004

Sabe aquele grupo de amigos que pareciam gays, mas não eram... Preciso cumprir a missão jornalística de manter o leitor a par dos fatos que se sucederam à publicação da coluna que tratava de homens que se encaixam em todos os estereótipos de homossexuais, mas que na verdade teriam o "desvio" de gostar de mulheres.

Pelo jeito, a coisa não era bem assim. Na semana seguinte, um deles decidiu abandonar mulher e filho e assumir, aos 54 anos, que é gay. E justificou que somente se sentiria inteiro admitindo para si próprio e para seus próximos essa condição. Outro membro da turma aproveitou a onda e revelou que tem lá seus casos extraconjugais com outros homens.

Os dois "héteros afeminados" restantes do grupo se mantêm firmes e fortes com suas mulheres. Abalados com a coragem de seus colegas, é preciso dizer, mas determinados em manter suas posições. Dessa maneira, a teoria anteriormente desenvolvida está, segundo nova aferição do DataFischer, 50% furada. Homens que agem como gays têm uma enorme chance de serem gays mesmo. Tenho que admitir que está cheia de razão uma amiga que costuma dizer: "Anda como gato, mia como gato... é gato".

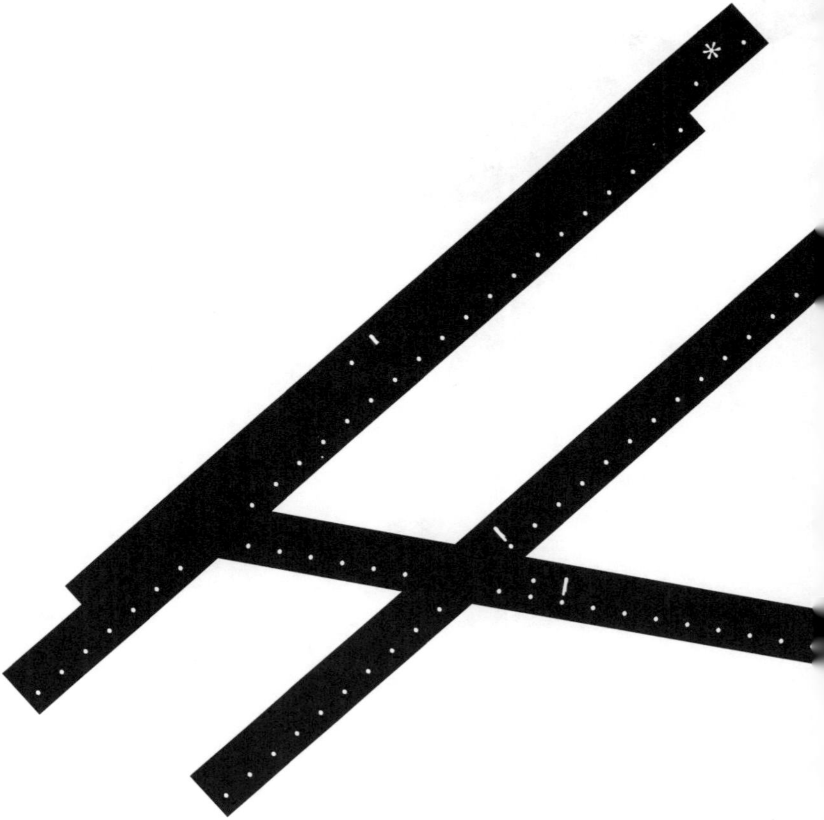

3. MERCADO DE CARNES

A PIRÂMIDE SEXUAL

Não existe pessoa no mundo sem uma vida sexual. Ela pode ser sublimada, como no caso dos monges budistas, através da repetição de mantras e muita água gelada. Ou vivida de maneira solitária. Mas todo mundo, mesmo a mais doce vovozinha octogenária, pensa em sexo e, mais ou menos intensamente, tem a necessidade física de trocar fluidos com outro ser humano.

Baseado nesse princípio, foi estabelecida uma verdadeira pirâmide sexual, que divide a humanidade de acordo com sua capacidade de vivenciar o desejo.

No topo da pirâmide estariam os homens heterossexuais, produto escasso hoje em dia, disputado pelas mulheres e com acesso fácil a travestis e gays. Para eles não faltariam oportunidades para o sexo. Logo abaixo estariam os gays, com um padrão de vida mais flexível e uma rede sexual solidamente estabelecida. No terceiro lugar, viriam as lésbicas que, mesmo em sua comunidade mais fechada, conseguem se virar bem.

Na base da pirâmide estariam as mulheres heterossexuais, cuja oferta é bem maior do que a demanda e vivem correndo atrás de seus vizinhos lá na cobertura.

Ao lado delas estão os chamados efeminados.

Já deu uma olhada nos anúncios pessoais em classificados gays? Tem gente procurando e oferecendo de tudo, mas os efeminados parecem ser uma unanimidade: todos querem distância.

Esses homens que se expressam com gestuais mais femininos acabam sofrendo uma discriminação maior dentro da própria comunidade gay.

As chamadas quá-quá (ou molinhas, na Bahia) são recriminadas por não abafarem sua maneira natural de ser, e acabam sendo mais facilmente absorvidas e queridas pelo grande público, ainda que como clowns, a bem da verdade.

Ser másculo traz vantagens como não ser importunado, ganhar o respeito da sociedade e ser mais valorizado no mercado sexual. Mas, como tudo, também tem seu preço. A maioria dos machões nem sequer imagina que alguns de seus companheiros de churrasco/futebol não compartilham de suas opiniões sobre o gênero feminino.

Muitos gays que não dão pinta são obrigados, com freqüência, a ouvir piadas absurdas sobre homossexuais.

Como raros são os que têm coragem para revidar essa ofensa, acabam rindo feito idiotas, tentando fazer parecer que não é com eles.

É comum também o aluguel de assentir em comentários sobre a bunda de uma transeunte só para não ser antipático – situação da qual os efeminados são definitivamente poupados.

Sem contar com o assédio do mulherio, sobretudo depois dos 30, quando viramos os solteiros disponíveis.

Não adianta negar as óbvias. Elas são a minoria mais visível e merecem respeito por sua determinação em não se esconder. Recriminá-las é burrice, e geralmente problema de quem não está bem resolvido.

VOCÊ É QUEM VOCÊ COME

Existe uma máxima natureba que diz "você é o que você come". Dessa forma, pessoas que comem alimentos gordurosos seriam gordurentas, os que evitam carne, menos estressados, e viciados em café seriam mais nervosos. Fiquei pensando esses dias se aquele princípio naturalista poderia sofrer uma pequena alteração na formulação e ser usado para se referir também à vida sexual das pessoas: você é *quem* você come.

Algumas importantes exceções devem ser feitas na aplicação dessa máxima, como pessoas com baixíssima auto-estima, compulsivos sexuais e os muito, muito feios. E comer não significa necessariamente relação sexual com penetração.

De resto, a gente acaba transando com aqueles que têm a ver conosco. Ou pelo menos deveríamos. Conseguimos conquistar aqueles que nos merecem. Merecemos aqueles que conquistamos. Faz sentido? É claro! Ninguém tem mais ou menos do que merece ou do que é capaz de ter.

Será que não acabamos transando com quem corresponde de alguma maneira aos nossos desejos? Conheço alguns tipos que desejam sempre o impossível, e esse despropósito em seus objetivos já denota alguma coisa fora do lugar.

E os que não conseguem ninguém? Não têm que apelar? Mas em que extensão eles são diferentes de seus compartes? A ausência de parceiros pode ter duas explicações: padrão demasiado alto para sua realidade ou sapiência. A segunda opção só é verdadeira quando não há nenhuma ansiedade por essa falta. O que em geral não costuma acontecer.

Expus minha teoria para um amigo, que imediatamente entrou em pânico. Ele disse que não queria se ver espelhado nos passantes que andou comendo ultimamente. Eles eram os que haviam se apresentado e não correspondiam aos seus anseios.

A necessidade, aquele tiquetaque que começa lá embaixo e toma todo o corpo, tinha-o impelido àqueles tipos. A necessidade faz o apressado comer cru, e a espera traz como recompensa o fruto mais doce e maduro. O difícil é segurar a onda. Tudo muda se você está casado ou solteiro.

Quando você volta a ficar solteiro depois de um longo período namorando, a primeira decisão que aparece é qual rumo vai ser tomado: *cair na sacanagem ou focar o encontro de alguém especial?*

Disso dependem seus próximos passos.

Por exemplo, na academia. Quem quer se preparar para uma vida sexual hiperativa deve se dedicar a incrementar o corpo na musculação o mais rápido possível, e assim melhorar suas chances nos contatos visuais. O sucesso no circuito mais under, chamado por alguns de "meio" (boates gays, sex clubs e pontos de pegação) depende da exposição do corpo. Quem quer alguém mais cabeça, com objetivos mais românticos, deve se encaminhar para as aulas de ioga, pilates e vernissages.

É claro que um bom corpo sempre ajuda em ambos os casos. Mas é como um amigo hétero diz: "Mulher gostosa demais só dá dor de cabeça. Pra namorar prefiro as gostosinhas".

Falando em amigos, na hora de sair, aqueles que querem só sexo devem evitar as companhias do sexo feminino (que empatam um pouco as aproximações diretas), os amigos héteros (que vão acabar o levando para ambientes menos gays) e os menos atraentes. Estar em um grupo de homens bem-apessoados sempre ajuda a chamar mais atenção.

O boyfriend material de verdade vai ser encontrado mais facilmente em ambientes onde a paquera se mantém com a testosterona controlada, como festinhas de amigos simpatizantes, livrarias e cinemas.

A velocidade na conquista também pode ser um fator determinante na profundidade da relação. O olhou-pegou-levou tem sua graça, tem a vantagem de resolver uma urgência física, mas costuma ficar só nisso mesmo. A conquista que exige algum empenho tende a ser mais valorizada e render frutos mais duradouros.

Precisa saber apenas se é isso mesmo que você quer...

Dia desses, discutia com uma amiga sobre o limite de tempo razoável para ficar sem sexo. Ela diz que depois de três meses sem transar começa a se sentir incomodada. Para completar minha surpresa, afirmou que já havia passado mais de seis meses a seco e que isso não era totalmente estranho em seu círculo de amizades, formado por mulheres heterossexuais na casa dos 30. Ela acha que essa dificuldade é causada, entre outras coisas, pela falta de homem no mercado.

Três meses inteiros sem fazer sexo com outro ser humano é, para mim, algo absolutamente fora de questão. Qual seria então a tríplice fronteira entre uma vida sexual saudável, os assexuados e os hiperativos sexualmente?

Fiz uma pequena pesquisa com alguns amigos sobre seu tempo sexual, e fiquei surpreso com a disparidade das respostas. As garotas em geral conseguem passar mais tempo sem sexo. Uma delas, lésbica, chegou a dizer que entre os 22 e 26 anos "desencanou de namorar". Insisti que estava falando de sexo, não de namoro. Ela respondeu que sem envolvimento emocional não consegue transar. *Good for her!*

Outra amiga, hétero, confessou que também chega a ficar meses sem sexo, mas ao final de duas semanas já começa a quicar. E afirma que é, sim, a falta de sexo que faz as mulheres ficarem nervosas, numa espécie de TPM sem fim.

Entre os homens, ninguém parece segurar mais de um mês; poucos são os que conseguem ficar na secura por mais de duas semanas. Esse número parece comum tanto entre gays quanto entre héteros. Passado esse tempo, uma espécie de alarme toca e cada um resolve da maneira que pode. Nada de ducha fria, puxar ferro, sexo virtual ou vídeo de sacanagem. Chega uma hora que só mesmo o contato pessoal e a troca de fluidos real.

Os heterossexuais geralmente têm de recorrer a profissionais do sexo ou às farmácias de plantão do caderninho de telefone, já que ir atrás de garotas em boates ou festas nem sempre é garantia de resolver o problema. As mulheres têm a tendência de querer valorizar excessivamente a transa e nem sempre dão de prima.

Entre os gays a questão é bem mais fácil. Existe uma compreensão do tesão compartilhada entre os homens, e o sexo costuma ser encontrado mais facilmente, seja em boates, internet, saunas ou sex clubs. Além dos amigos liberais e fuck buddies, prática mais comum entre homens do que entre mulheres ou nas relações intersexuais.

Não estou fazendo uma apologia do sexo casual nem da prostituição – eles não resolvem questões mais sérias de amor-próprio e relacionamento.

Não há nada que substitua uma boa transinha caseira.

ANAIS DA HISTÓRIA

Para heterossexuais, sexo anal é apenas um fetiche. Para gays, o buraco é mais embaixo e envolve até uma questão de identidade.

Talvez por influência da cultura gay americana, que costuma dividir os homens entre *tops* (ativos) e *bottoms* (passivos), muitos homossexuais acabam caindo na armadilha de reproduzir essa visão simplista do sexo e abandonar a saudável tradição brasileira de menor comprometimento com papéis sexuais.

Qual a vantagem de se limitar a uma determinada posição? Aqueles que bradam ser 100% ativos se mantêm presos a uma imagem que construíram para si próprios e, quando confrontados com a possibilidade de usufruírem do prazer anal, padecem de uma dor insuportável cuja origem está na própria cabeça.

Tudo não passaria de uma brutal dificuldade de assumir o próprio prazer, aliada a uma negação de entrega ao outro?

Pura veadagem. Mesmo em momentos de entrega total, não conseguem relaxar a musculatura e desfrutar de todas as possibilidades da divina anatomia humana.

Por outro lado, aqueles que fecham questão e se tomam por totalmente passivos de certa forma renegam a virilidade que buscam freneticamente no próximo. É claro que sempre vale a máxima "cada um, cada um", sobretudo quando o assunto é tesão.

QUAL SEXO É SEGURO?

Ando reconsiderando o conceito de sexo seguro. Sem entrar no mérito de questões que levantam dúvidas, como saber se sexo oral sem camisinha é totalmente seguro, ou se gozar em cima de um machucado aberto pode transmitir o HIV. A essa altura do campeonato todo mundo já meio que sabe o que pode e o que não pode fazer. Ou pelo menos deveria.

Aquele sexo que pode realmente transtornar a vida, como transar com ex, por exemplo, é ultra-arriscado. Fazer com alguém que está a fim de você, e não é correspondido, é comportamento de altíssimo risco. Sexo com amigo do namorado ou namorado do amigo, ai ai ai. O risco de se envolver numa confusão é enorme.

Da mesma maneira que o simples esquecimento da camisinha pode causar transtornos incríveis à saúde e integridade física, transar com quem não se deve transar pode causar danos tremendos ao seu bem-estar emocional e integridade social.

Considerar o que se deve ou não fazer em termos sexuais pode ter um leve tom moralista. Mas vamos combinar: vivemos em comunidade e é preciso pensar nos outros, além de você mesmo. E não apenas na pessoa com quem você transa, mas nos que estão em volta e podem ser afetados.

As pessoas se envolvem, e o sexo tem um peso real nas relações. A não ser para profissionais do sexo ou para os que se resolvem em quartos escuros.

Essa coisa hippie de liberdade sexual total é pura fantasia de quem transa muito pouco ou de quem não dá o real valor a uma boa trepada com alguém bacana.

A real é que você pode passar meses encalhado sem fazer o menor sucesso, levando para casa, quando muito, a xepa de fim de noite. Sentir-se um trapo abandonado que ninguém quer e que sempre tem que tomar a iniciativa da aproximação. Por pura carência, acaba confundindo os sinais e pagando sapo para amigos e conhecidos que estão apenas demonstrando simpatia (ou inocentemente viajando na pastilha). Nada pior do que investir a noitada na pessoa errada!

Quando a seca acaba e surge aquele ser especial com quem você compartilha sentimentos, desaparece a sensação de aperto no peito e a ansiedade. Você pode voltar a tocar a vida sem se preocupar em procurar companhia.

Mas aí é tiro e queda. Num passe de mágica, o mundo à sua volta muda quando está namorando. Desencanar da busca desperta a atração dos outros, que se sentem compelidos à conquista. Isso é Impulse. Estar bem comido deve liberar no ar alguma espécie de hormônio que tem efeito direto sobre a libido alheia.

O ideal nessas horas é manter-se firme diante das tentações e lembrar que parte de seu charme reside nessa resistência. E quanto mais desencanado, maior o interesse. Amar é o melhor dos afrodisíacos. Pode parecer cruel, mas as coisas funcionam assim, independentemente da orientação sexual.

Tudo não passa de uma questão de auto-estima, que se sente no olhar. Um amigo carioca, cara bastante interessante, passou muito tempo sem chuva na sua horta e não conseguia entender o porquê. De fora, é fácil enxergar a razão: sua atitude explicitamente carente não incitava o desejo, mas, no máximo, a compaixão de algum voluntário do CVV.

Todo mundo já tem seus próprios problemas, e fica difícil imaginar alguém se dispondo a botar no colo um ser que acabou de ver numa boate – a menos que seja outro problemático.

O que resta aos solteiros é ter paciência e se poupar de micos desnecessários. Valorize-se e os outros o valorizarão.

Nas salas de bate-papo gay na internet, é muito comum ver homens buscando parceiros "fora do meio". Ao lado dos efeminados e gordos, os freqüentadores de boates, bares, saunas, sex clubs, cinemões são menos valorizados como possíveis namorados. É como ir ao Autorama, ponto de encontro localizado no estacionamento externo do parque do Ibirapuera, sem carro. O senso comum gay diz que esses lugares, que formam o chamado gueto, são próprios para o encontro de parceiros sexuais, não para relacionamentos mais sérios.

Ao confundir experiência com pureza de coração, esquecem que as tais salas de bate-papo que eles próprios freqüentam são parte integrante do tal "meio" que tanto desprezam. Nada muito distante dos ex-gays que dão seus testemunhos em programas evangélicos nas madrugadas da tevê, pintando o "mundo homossexual" como um antro de perdição. O passado homoerótico desses convertidos, envolvendo sexo sem segurança, drogas e prostituição, é nada mais que o resultado de seus próprios desejos. Parece pouco provável que tivessem vivido experiências diferentes se fossem heterossexuais.

Homens que têm a fantasia de encontrar consortes "não-contaminados" pelo ambiente gay nada mais fazem do que reproduzir o velho axioma machista que exigia virgindade feminina como virtude fundamental para o casamento.

Qualquer pessoa que limite suas experiências por preconceito está abrindo mão de possibilidades e se fechando em uma redoma. Freqüentando ou não, é preciso reconhecer a importância do gueto como referência e foco de resistência de identidade para uma parcela considerável da comunidade GLBT.

SEXO INSEGURO

Abril de 1999

A revista norte-americana *Advocate*, que chega às bancas essa semana, vai colocar fogo em uma discussão que ganha espaço desmesurado nos Estados Unidos.

Um grupo auto-intitulado Barebackers vem pregando com insistência a prática do sexo livre sem proteção com objetivo de diminuir o medo nas relações sexuais. Para horror dos mais conscientes, a prestigiosa revista *Poz*, dirigida a soropositivos, apresentou em sua capa Tony Valenzuela, principal nome desse movimento, como um romântico aventureiro.

Esse tipo de comportamento já aponta um novo crescimento nos índices de contaminação do HIV entre homens gays, sobretudo os mais jovens, que se cuidam menos por ter sido menos afetados pelo medo da epidemia. Eles conheceram poucos casos de morte por aids e iniciaram sua vida sexual já com clima vigente de esperança pós-coquetel.

Tomara que essa baboseira suicida não encontre eco entre nossos lolitos.

Nota do autor: passada quase uma década da publicação deste artigo a prática se tornou comum e é uma das principais causas dos novos casos de contaminação. Vale acrescentar também que o sexo sem proteção entre heterossexuais também é *bareback*, apesar do termo não ser empregado para o sexo papai-mamãe.

TEORIA DOS TRIÂNGULOS

Anote aí no seu livrinho de cabeceira: todo relacionamento a três acaba mal. Já presenciei casais amigos embarcarem nessa, geralmente com a saudável proposta de esquentar a vida sexual. Excetuando-se cornos mansos e suicidas latentes, é a ilusão de que o relacionamento estaria sólido o bastante para enfrentar esse desafio que joga casamentos numa cilada com uma única saída: a separação definitiva precedida de um barraco federal.

Em momento algum confunda ato sexual e relação. Sexo com outras duas pessoas é uma atividade que não traz maiores riscos *de per si*. Basta o triângulo ser equilátero, com os três lados milimetricamente iguais, e o nível de relação entre os envolvidos o mesmo, de preferência nenhum.

Formado uma segunda vez, afinidades entre duas das partes já se revelam. Numa terceira, elas se impõem. Em muito pouco tempo, as sinastrias (afinidades entre duas pessoas que podem ser identificadas nas comparações de mapas astrais de casais) se estabelecem e alguém começa a sobrar. É da própria natureza humana.

Há várias configurações triangulares. No triângulo isósceles, aquele com dois lados iguais, duas pessoas que têm uma relação introduzem uma terceira. Essa atividade é reservada aos que não padecem de ciúme. Só não vale entrar em pânico ao ver o parceiro urrando com outro. A graça da coisa deveria estar justamente aí.

Existem ainda os triângulos retângulos, onde dois lados formam um ângulo reto e são ligados por um outro lado. Traduzindo, duas pessoas que não se relacionam entre si ligadas apenas por um terceiro elemento. Bom para ele, que tem dois concorrendo pelo seu favoritismo. Péssimo para os outros dois, que jogam na latrina a auto-estima em prol de uma paixão que jamais terá correspondidas suas expectativas.

Será que topar esse jogo não significa camuflar uma simples preguiça de procurar outro e se render a dois vassalos amorosos? Não seria o gostosão apenas um prisioneiro do seu próprio jogo de poder?

O ponto comum entre as categorias de triângulo é o desfecho. Geralmente, quanto mais longa a história, mais dramático o final. Para sair dessa sem sofrer, é preciso um desapego que só um monge teria. Mas um monge dificilmente cairia numa dessas.

AMIZADE LIBERAL

É diferente da antiga amizade colorida – que nada mais é do que um namoro que não se assume. Também não chega a ser uma farmácia de plantão, aquela que atende a qualquer hora do dia e da noite quando bate o tesão. Amigos liberais são aqueles que nutrem um profundo carinho recíproco, têm interesse sexual mútuo e conseguem dar vazão a esse desejo sem a necessidade de compromisso.

É bem mais prático e seguro do que sair por aí atrás de sexo com gente desconhecida e, por terem uma intimidade grande demais, nem pensam em desenvolver uma relação amorosa. Simplesmente têm abertura para extravasar o tesão sem maiores dramas. Ou ao menos pensam que seja assim.

O sexo com conhecidos tem suas vantagens. Não é preciso dizer do que gosta, ficar com receio de abrir aquele fetiche secreto, pedir para parar – ou continuar – a toda hora.

Sem dúvida é bem mais fácil chegar em quem já conhecemos. Mas o que faz com que algumas dessas relações não evoluam para outro patamar afetivo/espiritual?

Sexo-e-amizade parece ser um coquetel excitante e não exclusivista, aparentemente a solução ideal nessa nova era que se aproxima. Mas não passaria de uma desculpa daqueles que não conseguem construir uma intimidade real – daquelas só viáveis com uma pessoa a cada vez.

O grande risco dessas amizades liberais está justamente nessa comodidade, que arrefece a busca por uma paixão verdadeira e mais cedo ou mais tarde vai acabar detonando esse sentimento especial.

JÁ OUVIU FALAR NO "RECUCETEIO"?

Uns conhecidos chamam "recuceteio" aquele troca-troca dentro de uma mesma turma, onde quase todo mundo já transou entre si em algum momento.

É uma adaptação de "rebuceteio", para eliminar a menção à genitália feminina, evidentemente excluída desse processo, e trocá-la pelo monossílabo que denomina partes mais presentes nessas práticas.

A promiscuidade – termo aqui usado sem nenhum julgamento moral e não necessariamente com caráter sexual – seria um valor a ser cultivado, um comportamento a ser alcançado? Há quem pense que sim.

O recuceteio não é privilégio das barbies, musculosos que costumam trocar de parceiros dentro de um mesmo grupo durante seus encontros. A prática é bastante popular também em turmas que se consideram modernas, e todo mundo já rodou na mão de todo mundo. Seria fruto de um desprendimento de compromissos ou, mais uma vez, da incapacidade de estabelecer vínculos duradouros?

É uma grande tentação experimentar sem limitações diferentes bocas e corpos. Mas há inegáveis componentes de vingança e competição em traçar alguém que já passou pelo seu ex. Inegável também que existe um lado bastante divertido, mais até do que libidinoso, em comparar as mesmas pessoas em diferentes situações.

No final, o processo todo acaba fazendo mais mal do que bem. Posso estar ficando quadrado, mas mesmo a vida gay requer certas regras de convivência, por questão de etiqueta até, para evitar sofrimentos desnecessários. Na real, nunca vi ninguém que embarcou nessa onda muito feliz e seguro...

TIGRÕES E POPOZUDOS

Fevereiro de 2001

Um amigo carioca anda fascinado pelo porteiro do seu prédio. Já deu todas as pintas que tinha que dar, chama o rapaz de tigrão, mas até agora nada. Decidiu que a loucura carnavalesca vai ser a deixa para demonstrar explicitamente suas nobres intenções: produziu uma camiseta com a inscrição "www.mecomemanuel.com.br". Como sai com ela nas bandas e bailes, o convite nada sutil fica valendo para todo Manuel que se habilitar a encarar o popozudo.

Carnaval serve para isso mesmo. Realizar fantasias sexuais reprimidas sem ter que dar satisfações e com um álibi perfeito fornecido pela própria sociedade. Como o que conta nessa época de excessos é mais a quantidade do que a qualidade, o caminho certo para quem está com os hormônios pipocando é chafurdar nos bailões, de onde ninguém sai sem se dar bem.

Só precisa fazer muito sexo de uma vez quem não tem bom sexo o ano todo. Não resisto a dar uma de filha de Maria e lembrar que sexo bom de verdade é aquele praticado com quem se tem uma afinidade maior. Não há termo de comparação entre a satisfação de um encontro casual e uma boa transa com quem se ama.

Guarde para pensar nisso depois do enterro dos ossos. De qualquer maneira, não deixe de sair de casa com o bolso cheio de camisinhas, e não entorte a ponto de perder a consciência e fazer algo de que possa se arrepender mais tarde.

POR FALAR EM TAMANHO...

Entra milênio, sai milênio, e as barbies continuam gozando de imenso prestígio social. Por mais que invejosos decretem que músculos hipertrofiados estejam fora de moda, difícil alguém resistir ao hipnotismo criado pelo suingue de um abdome tanque. Em Ipanema, berço esplêndido dos musculosos sem camisa, os bíceps ainda dominam a cena, mesmo sob alguma resistência.

R. é um desses rapazes com corpo escultural, bronzeado perfeito e cabelo cortado a máquina, mas cuja companhia favorita é geralmente o espelho. Apesar da boa aparência (ótima, aliás) e de já ter passado dos 30, ainda mora com a mãe, na zona Norte. O que dá às raposas motivos para desdenhar pelas costas da presa fugidia. Mas basta ele tirar a apertada camiseta para a festa inteira suspender a respiração.

Uma sugestão para o verão que vale para todos, héteros, homos, bis e pansexuais: que tal deixar de desdenhar os corpanzis alheios e transformar todo esse desejo reprimido em um abdome mais apresentável?

A revista inglesa *Attitude* publicou pesquisa que diz tudo aquilo que já sabíamos, mas que, até agora, ninguém tinha coragem de assumir em público. A tão debatida questão do tamanho do órgão sexual ganha contornos bem diferentes daqueles apresentados normalmente nas revistas femininas ou em títulos masculinos direcionados aos heterossexuais, que, invariavelmente, concluem que tamanho não é fundamental.

Pelo jeito, não é o que pensam os homossexuais. Foram entrevistados cem gays londrinos, e o resultado da pesquisa mostra que 66% acreditam que o tamanho importa mesmo, e 99% gostariam de ter nascido com uma polegada a mais.

A revista apresenta também uma lista com os bem-dotados ao longo da história, que inclui Charles Chaplin, Onassis, Gary Cooper e até Rasputin – cujo monumental instrumento foi removido após seu assassinato pela guarda revolucionária russa, sabe-se lá com qual objetivo.

Entre os menos aquinhoados estariam Napoleão Bonaparte e Nijinsky. Para quem realmente se importa, felizmente a ciência e os sex shops já provêem soluções acessíveis aos que não estão satisfeitos com suas formas.

Já pesquisadores canadenses tomaram as medidas de cinco mil homens de vários grupos étnicos e concluíram que os gays têm de fato o pênis maior que o dos heterossexuais, trazendo à tona novamente a velha discussão sobre um possível fator genético da homossexualidade.

Luis Capucho, em seu livro *Cinema Orly*, apresenta a teoria de que, na verdade, são os homens bem-dotados que viram gays devido ao fascínio pela própria anatomia avantajada.

Será?

PETER PAN FORA DO ARMÁRIO

O fato de não casar possibilita a solteiros em geral, e mais especificamente gays que já conseguem viver longe da família, a manutenção indefinida de um status de liberdade incondicional. Freqüentar noitadas durante a semana é uma dessas vantagens. As festinhas costumam ser mais animadas e direcionadas a quem realmente gosta de sair. Há um lado ótimo nisso tudo: não ter ninguém para dar satisfações, administrar livremente seu tempo, relações e transas. Mas existe também um lado não tão bom.

A começar pelo preço que o corpo paga. Tudo bem que a pitonisa do bem viver, a milionária e ex-presidiária Martha Stewart, só dorme três horas por noite e continua uma deusa aos 60 anos, faturando bilhões. Deve passar as madrugadas testando porcelanas, cuidando do cabelo ou colhendo ovos na granja do seu quintal. Aos 20 ainda dá para enfiar o pé na jaca cinco vezes por semana. Aos 30 já complica.

A questão, no entanto, não passa apenas pelo desgaste físico. Anos a fio de papinhos adolescentes acabam entorpecendo mais do que qualquer droga. E ninguém consegue discutir na noite política internacional ou rumos da arte contemporânea. Só bêbados ou drogados alugando ouvidos alheios.

Por definição, a noite é para divertir, jogar papo fora, encontrar companhia e incentivar a alienação da vida diurna. Não é esquisito um grupo de homens, trintões ou quase, ficar discutindo quem vão beijar essa noite? Parece papo de garotas de 12 na entrada da matinê.

Manter o entusiasmo juvenil é fundamental para levar a vida com qualidade e bom humor. Faz bem à pele, e por essas e outras que gays geralmente parecem mais jovens que héteros da mesma idade. Mas não há algo estranho em se recusar a amadurecer? E quando esse povo chegar aos 40, 50, será que vai continuar agindo como adolescente? Não sei se combina. Há de existir uma maneira de manter a juventude sem cair no ridículo.

Se não for para evoluir, qual o sentido de ficar mais velho? Todas as fases da vida devem ser aproveitadas, com o melhor que elas podem oferecer. Não pretendo abdicar da noite nem aos 70, só não dá para acreditar que minhas necessidades serão as mesmas até lá. Para falar a verdade, espero que não sejam.

SIMPATIZANTE DA PORTA PRA FORA

Antes de mais nada, é preciso ficar claro que pedofilia e pornografia infantil são os mais abomináveis dos crimes. Sobre isso não há o que questionar. Mas é inegável que desde cedo o ser humano já expressa sua sexualidade, e que temos muita dificuldade em lidar com esse fato. E por mais moderninhos que sejam, e às vezes sem nem se dar conta, muitos casais heterossexuais acabam reproduzindo preconceitos quando chega a hora de os rebentos demonstrarem sua sexualidade.

Mesmo que tenham amigos homossexuais e que sejam realmente simpatizantes, quando se vêem confrontados com a possível homossexualidade dos próprios filhos, a coisa muda. Reprimem, muitas vezes com violência verbal, qualquer aparente "tendência" e manifestam opiniões grosseiras que, em geral, não fariam parte de seu discurso social, perpetuando, assim, os mesmos vícios de sempre, que fazem subsistir a homofobia. O pânico oculto de ter um filho gay ou transgênero, ou uma filha lésbica, cega o bom senso até das pessoas mais esclarecidas.

Talvez com a melhor das intenções, esses casais podem gerar problemas futuros de adequação ao criar uma redoma em que é sublimada a existência de outras formas de amor.

O TESÃO DO RISCO

Estava sentado nas pedras do Arpoador, no Rio, assistindo a um belíssimo pôr-do-sol, quando uma cena no vizinho Parque Cazuza me chamou a atenção. A área é um conhecido ponto de pegação e dava para perceber que era um dia especialmente agitado.

Dois rapazes que estavam se paquerando na pista de skate decidiram se encaminhar para a moita mais próxima para resolver a situação que os levou até lá.

Assim que desapareceram no mato, vi dois policiais subindo na mesma direção. Pude prever a cena seguinte. Dito e feito. Segundos depois, vi um dos dois rapazes fugindo em disparada e o outro sendo conduzido com violência pelos PMs. Não acompanhei o final do drama, mas seguramente terminou com algum tipo de negociação financeira em troca do deixa-disso.

Não quero discutir o direito de fazer sexo em lugares públicos. Sobre isso não há consenso nem mesmo dentro da militância gay, e não acho que sua repressão seja uma questão de mera homofobia. Segundo o advogado Eduardo Piza, o ultraje público ao pudor consiste em crime, mas suas circunstâncias são passíveis de consideração, como as circunstâncias que levaram ao ato e quão visíveis ao público estavam os envolvidos. Resumindo, mesmo que não seja condenado, quem resolver contestar a atitude dos policiais pode passar pela dor de cabeça de um processo.

O que intriga é a necessidade de muitos homens de incluírem o fator risco em suas práticas sexuais.

Não acredito que os rapazes do parque o fizessem por necessidade. Pareciam jovens e como estavam sem camisa deveriam ser seguros de seus corpos. Também não creio que o fizessem por falta de recursos. Pelo preço de um ingresso de cinema poderiam ter ido a uma sauna gay não muito longe dali.

Além do risco de prisão, a pegação em lugares ermos traz ainda a possibilidade de assaltos e agressões físicas.

Existem relatos de sexo entre homens em lugares públicos, bem como sua repressão, desde tempos imemoriais.

Não cabe dizer que essa prática acontece pela repressão da sociedade aos homossexuais. Mesmo em lugares extremamente tolerantes, como São Francisco ou Amsterdã, o sexo em parques públicos é uma prática observada em vários pontos.

Qual seria a motivação para incluir o risco como componente de excitação sexual?

A impressão é que ele seria um fetiche, assim como o sadomasoquismo, voyeurismo ou exibicionismo.

FIGURINHA REPETIDA NÃO COMPLETA ÁLBUM

Esse clássico da solteirice pode ser aplicado também aos casados mais soltos.

Em uma metrópole como São Paulo é uma possibilidade real. Sempre vai haver gente nova entrando no mercado, e que merece ser experimentada. Em Conceição do Mato Dentro deve ser bem mais difícil borboletar sem repetir. Quando rola alguém interessante (gostoso e disponível) em uma pequena comunidade, o melhor a fazer é segurar com unhas e dentes. Casar o mais rápido possível, sim, senhor.

A troca indefinida de parceiros pressupõe um grande contingente populacional. E que a pessoa também tenha algo a oferecer que gere interesse nos outros.

Seguramente um corpo novo oferece o elemento surpresa, a descoberta constante, aquela excitação de uma conquista.

Faz parte da natureza masculina a necessidade da variedade. Pode estar na necessidade biológica do macho de fecundar um número de fêmeas para imprimir seu código genético. Machos que gostam de machos mantêm o mesmo padrão.

Quando o desejo por um novo corpo se torna imperativo é preciso buscar fontes renovadas para realizar o prazer. Em casos extremos, sublimar não é uma opção.

Internet pode ser uma alternativa. Uma verdadeira babel eletrônica de gente atrás de sexo, onde a maioria absoluta é formada por homens e, desses, três quartos devem ser gays ou bissexuais.

A não ser que você tenha checado pela webcam detalhes anatômicos antes de marcar o encontro, a surpresa pode ser desagradável. E ainda assim, na hora H não é raro que a realidade não seja aquilo tudo que a câmera mostrava.

A vantagem de se repetir é exatamente o fato de não existirem surpresas. Se foi bom e vale a pena, merece ser repetido. Se não foi ótimo nem deixou saudade, aí sim é melhor partir para a caça.

Tem também aqueles que nem foram tão bons na hora, mas no retrospecto até que valeriam uma segunda chance...

E COMO É MESMO ESSA HISTÓRIA DE SEXO PELA INTERNET?

O fetiche exibicionista-narcisista está na base dessa prática. Antes de ver o outro, você vê a si mesmo, com a possibilidade de escolha do melhor ângulo. Assim como em comerciais de margarina ou em simples fotos 3 x 4, uma boa iluminação é a base para valorizar o produto. A busca do corpo do outro estará condicionada ao resultado do que se vê.

No chat com vídeo, geralmente usando o MSN, pode-se até mentir idade, e assim como no clássico da ficção científica trash dos anos 70 *Logan's Run* (onde todos parecem ser condenados à morte aos 30), raros são os que têm mais de 29 anos. No entanto, fica difícil assumir-se "sarado" ou "dotadaço" sem oferecer reais motivos para tanto. A webcam pode ter uma definição não tão perfeita, mas ela não cria imagens a partir de nada.

Os belos de rosto, mas fracos de corpo, por vezes dão a cara a bater com intuito de garantir um interesse maior de seus interlocutores. No entanto, via de regra o que se vê são corpos guilhotinados, sem rosto, por temor de exposição pública. São as chamadas mulas-sem-cabeça.

As emoções são fortes: em pouco tempo é possível ver uma autofelação, passar por um casal inter-racial fazendo sexo ou ser surpreendido pelo strip-tease de um suposto "surfista carioca".

O mais interessante é o princípio de que, na frente da câmera, todos devem atender aos pedidos de quem está do outro lado da linha. Não importa se o apelido ou texto do internauta é de um dominador. Ao ser inquirido a mostrar a bunda, virar de lado ou se aproximar da câmera, todos obedecem. É um acordo tácito da brincadeira, uma espécie de etiqueta da coisa. Sabe aquela brincadeira de criança "tudo o que o mestre mandar, faremos todos"? Pois nessa versão cibernética adulta a vantagem é que o papel do mestre é revezado entre os participantes. Eu mando você tirar a camisa, mas aceito que você me mande abaixar a cueca.

Tudo muito prático, seguro e honesto.

Mas você pode perguntar: e onde fica a sedução e a surpresa?

A sedução se limita praticamente à escolha de um bom nick, o pseudônimo atrás do qual o internauta se esconde e que pode lhe abrir as portas da felicidade. Os primeiros cinco segundos também são fundamentais, já que um ângulo infeliz pode determinar a desconexão imediata. Quanto à surpresa, ela fica por conta de descobrir que por trás daquela genitália existe uma pessoa. Algo que dificilmente chegará a acontecer. Sem nenhum julgamento moral, é duro imaginar um papo-cabeça depois de um contato gozoso baseado no tamanho do pau.

AS APARÊNCIAS ENGANAM

Um amigo contou que seu novo namorado é completamente diferente na cama do que parece ser socialmente. Seria difícil entender o que ele quer dizer, não tivesse eu mesmo tido uma experiência com o dito cujo tempos atrás.

Conservador, quase careta, cara de bom moço, mas entre quatro paredes um demônio (no bom sentido) que faz o melhor uso de cada centímetro do seu corpo e do parceiro, sem nenhum tipo de trava.

Na verdade, não causa nenhuma surpresa essa aparente dicotomia. Tenho amigos sadomasoquistas radicais com cara de mau que são superdoces no trato. Sem falar em musculosos imensos que são verdadeiras mocinhas entre quatro paredes. Não estou falando em ativo-passivo, isso é bobagem. É a postura que importa.

Sexualidade pouco tem a ver com aparência. É preciso uma leitura menos superficial para não ter surpresas. Quando elas são positivas, ótimo. Problema é cair em roubada e ainda ter que fazer o fino.

FILOSOFIA DE PORTA DE BANHEIRO

Gurumayi Chidvilasananda, mestra da filosofia oriental, tem uma máxima que diz que tudo acontece para melhor. Minha mãe costuma afirmar que nunca podemos saber a extensão de algo que somos forçados pelas circunstâncias a não fazer. Acreditando numa lógica superior do bem, os motivos que nos fizeram perder um vôo, por exemplo, poderiam fazer parte de uma conspiração maior para evitar que algo de ruim acontecesse.

Será que essas teorias podem bem ser aplicadas quando você deixa alguém interessante escorrer pelos seus dedos? Dia desses li na porta do banheiro de um centro cultural paulistano uma pequena frase escrita em caneta azul, com letra forte e decidida: "foda adiada é foda perdida". A afirmação pode parecer meio escrota, mas parece revelar algum conhecimento de causa e guardar sua parcela de sabedoria.

Você conhece aquela pessoa bacana, ela dá mole, a coisa começa a rolar, mas você resolve deixar para o dia seguinte por "n" motivos. Pode estar cansado, ainda não tomou banho, não quer deixar de ir à academia, tem um jantar com uma amiga que está na maior fossa. Confiante no seu taco, anota o número do celular e marcam de sair no dia seguinte. No entanto outras "n" coisas podem acontecer para melar esse novo encontro. O celular dele pode descarregar, você pode perder seu celular, ele pode encontrar outra pessoa mais interessante nesse ínterim, a avó dele pode morrer e ele ter que viajar para o enterro...

A vida moderna trama pela separação das pessoas. Os encontros com pessoas interessantes são momentos especiais que não devem ser desperdiçados, ainda que estejam destinados a durar apenas uma noite. Quando nada rola, fica aquela expectativa de que poderia ter sido bom. Corre-se o sério risco de virar drama de sessão da tarde.

Nesse caso, pode estar certo o filósofo do banheiro: melhor mandar ver e saber se a figura vale a pena ou não logo de cara. É o famoso "só me arrependo do que não fiz" de que fala Wanessa Camargo.

Poupar-se também pode ser uma boa política. O risco dessa prática mais sensata em nome de uma possível relação mais profunda é perder boas oportunidades, inclusive de aprofundar uma possibilidade. Será que algo que acontece rapidamente é descartável só pela sua velocidade?

Há que se dar um crédito aos clamores hormonais. E quando a coisa não dá certo, existe outra solução, que já vi proposta na porta de um banheiro de aeroporto: "lavou, tá limpo".

PRÍNCIPE DO IBIRAPUERA

Aos 22 anos, Rafa lamenta ter que morar com os pais em um apartamento apertado no Centrão e acredita ser essa a razão de ainda não ter uma vida sentimental madura.

Por madura ele entende ter um namorado. E até hoje nunca chegou nem perto disso.

A falta de grana para saídas (e falta de imaginação) o levam a solucionar sua constante urgência sexual nas noites do Ibirapuera, onde costuma ir duas ou três vezes por semana depois da saída do cursinho.

Quando está de férias, repete quase diariamente o ritual. Ele anda cerca de meia hora para chegar lá, e passa duas ou três horas na área de pegação no bosque próximo ao Autorama, antes de pegar o último metrô de volta para casa. Mesmo sabendo que existe uma infinidade de opções para encontrar parceiros, não consegue se imaginar em um bar ou clube gay. Acha coisa de bicha burguesa.

Para atrair a atenção no escuro do parque, malha diariamente, o que lhe garante um abdome esculpido e um conjunto de peitoral e bíceps avantajados. Com isso, invariavelmente seus mamilos são sugados com veemência. Isso lhe proporciona uma sensação de controle através da oferta de prazer. Bem-dotado usa também a exposição de sua arma como estratégia de conquista. Seus lábios grossos e cabelos castanhos ornam um rosto bonito e másculo.

Com todos esses atributos, chega a ter três ou quatro homens a cada noite sem fazer nenhuma espécie de triagem. Por preferir ser passivo, anda sempre com camisinhas no bolso e assim evita nóias.

Gosta de beijar, e tem especial fetiche por transas dentro de carros, que lhe dão a sensação de estar transando dentro da casa de seus parceiros.

Raramente chega a saber o nome deles. A primeira pergunta é sempre a idade, e às vezes checa se o cara mora sozinho, e com que trabalha.

Apesar de carregar certa culpa e de se sentir promíscuo, Rafa mantém o sonho de encontrar o príncipe encantado a cada trepada.

E cada vez ele acha que pode estar encontrando o amor de sua vida. Cada vez que um deles goza e vai embora, sem dizer nada, ele se sente traído e abandonado. Só nos dez primeiros dias desse mês já foram quase vinte decepções amorosas.

Mas amanhã ele estará lá de novo.

A RAINHA MÁ

Anderson observa-se atentamente, sozinho e nu no espelho de seu closet.

Espelho, espelho meu, existe homem nesta cidade tão atraente quanto eu?

Tanto quanto você, alguns. Mais do que você, muito poucos, responde a superfície espelhada.

Então, por que não consigo um namorado?, esbraveja sem obter resposta.

Quando veio estudar odontologia em São Paulo, Anderson achou que finalmente encontraria um parceiro. Perto de sua família e de toda a pressão da sociedade da pequena Assis natal, jamais conseguiria expressar sua forte sexualidade. Desejado por primos, peões e amigos, nunca conseguiu passar da brincadeira do troca-troca, limite do sexualmente tolerável.

As aventuras começaram na própria USP, onde conseguiu até que o mais desejado hétero de todo o campus ficasse de quatro, literalmente, por ele. No entanto, quando mencionou um possível envolvimento emocional, o cara quase riu, e disse que já tinha namorada.

Passados os anos, esse acabou se tornando um padrão de relacionamentos. Mesmo desistindo dos caretas, sempre se interessa por homens engajados em outros relacionamentos.

Oportunidades para todo tipo de sexo não faltam. No clube, no supermercado, até mesmo no seu condomínio. Só que ele quer mais.

Dentista bem-sucedido, no auge da forma física, é constantemente assediado pelas clientes e pelos clientes. Com mulheres não quer nada. Quanto aos homens que se oferecem em sua cadeira reclinável do belo consultório da Vila Mariana, prefere não misturar trabalho e sacanagem. Muito raramente, uma vez ou outra, para ser totalmente fiel à verdade.

No decorrer dos anos, acabou desenvolvendo uma espécie de obsessão. Sem se dar conta, criou um faro, uma atração inexplicável. Prefere atacar homens namorando ou casados. Independentemente de serem especialmente gostosos, sente um frisson que o move na direção desses tipos.

Nem precisam dizer que têm parceiros. Mesmo porque geralmente não revelam seu status conjugal.

O ritual se repete sempre. Depois da conquista, durante a trepada, o frisson se transforma em um misto de raiva e inveja. Venera aquele homem por ter outro homem, e o odeia por isso. Sequer consegue relaxar e ser passivo. Só pensa em comer os caras, para ficar claro que está no domínio da situação.

Quando goza, um sentimento ruim toma conta dele. Não é arrependimento. Anderson queria estar com seu namorado naquela hora. Então surge um desejo incontrolável de acabar com a felicidade do outro, detonar o namoro que não tem.

Suas estratégias incluem chupões, recados na secretária eletrônica (no caso de o outro ser casado) e colocar mensagens bandeirosas no Orkut. Tem um especial prazer em imaginar a quizumba que essas ações causam ao casal.

Justifica suas atitudes pensando que, se estivesse namorando, jamais trairia.

Mas não pode ter certeza de que isso seria verdade.

Aos 29, Anderson nunca namorou.

O REI DA ACADEMIA

Quando fez 30, Ronaldo decidiu levar a sério a academia, pois já era hora de cuidar do corpo pra valer. Aquele era um investimento com retorno garantido. Baixo, mas com boa estrutura óssea, ficaria mais bem posicionado no mercado com músculos mais proeminentes. Vinte e poucos anos depois, ele pode contar com um corpo que muitos garotos invejam.

Sempre foi um cara que pensou no futuro. Por isso também construiu a casa no sertão do litoral norte, mais ou menos na época em que começou a malhar. Um imóvel que se valorizaria, como realmente aconteceu, ainda que esse nem fosse o objetivo final desse outro investimento. Queria um lugar tranqüilo, perto dos amigos, para viver intensamente aquele pequeno universo Piavu. Já se via lá na frente, sem filhos e provavelmente solteiro.

O emprego na financeira é chato, mas permite manter rotinas, como puxar ferro religiosamente das sete às oito e meia e passar muitos finais de semana na praia. Além de um bom salário e uma relativa segurança.

Teve muitos namorados, dois casamentos longos, e está completamente solteiro há mais de um ano. Nunca foi de baladas. À The Week, foi três ou quatro vezes. Quando os amigos o chamam para uma noitada, diz que não gosta de sair, mas às vezes cede e vai. Tira a camisa no instante que chega, não apenas porque todos os seus amigos também tiram. Ele sabe que só consegue alguma atenção com o torso nu.

Na academia, seu cabelo grisalho, óculos emoldurando um rosto bem cortado e as camisas largadonas fazem sucesso entre as mulheres. Mas a última que comeu de verdade foi na faculdade, depois de uma bebedeira. Entre os carinhas, passa meio batido.

Gosta de se imaginar como um Clark Kent mais velho, já diretor de redação do *Planeta Diário*. Assim como o Super Homem que enruste seus poderes, seu grande trunfo aparece apenas no vestiário.

E foi lá que conheceu o cara em que está investindo agora, alguns anos mais novo. Por enquanto só conversaram. Ronaldo não tem pressa: ele sabe que qualquer dia desses vai rolar.

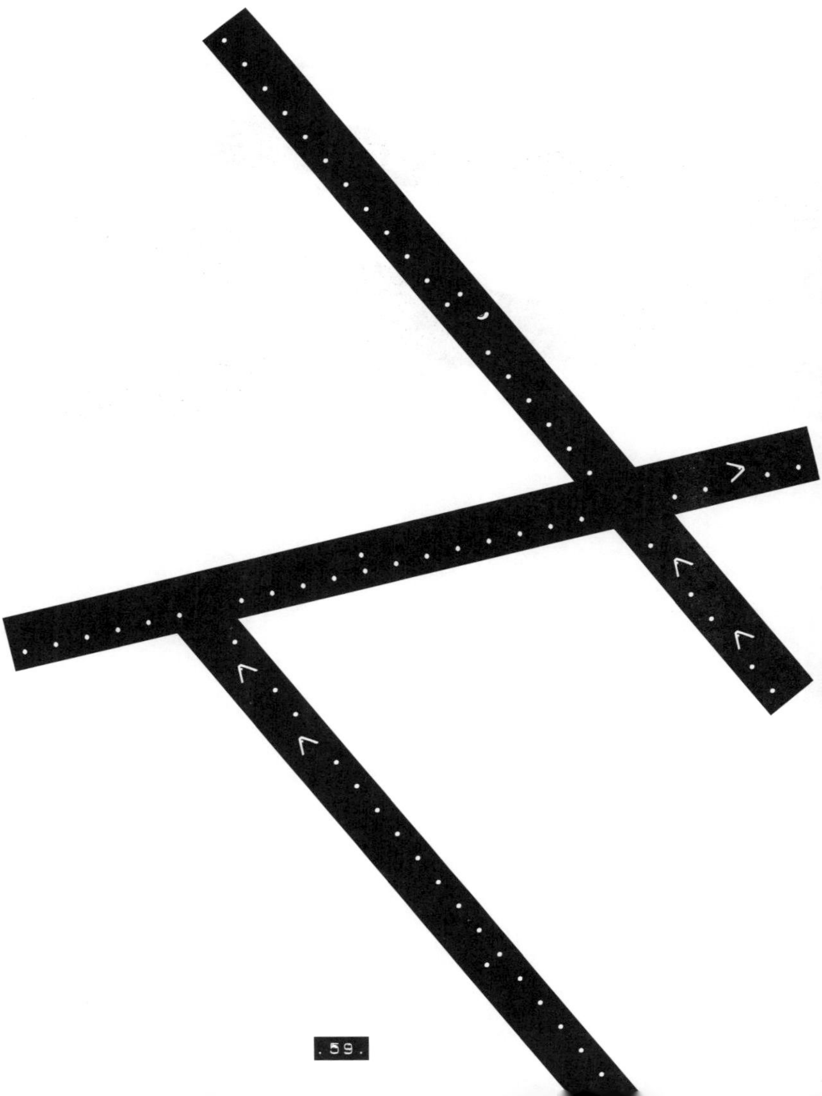

4. É DANDO QUE SE RECEBE

O BOM PARTIDO

Um amigo recém-solteiro reclama que o grande problema dos homens da cidade é que estão ansiosos demais para namorar, enquanto ele busca apenas diversão, sem maiores laços ou compromissos. Compreensível sua posição libertária, mas talvez seja uma questão de tempo para ele entrar na extensa fila dos que querem encontrar alguém.

Esse fenômeno tem pelo menos um lado positivo, além da evidente carência afetiva (que está longe de ser exclusiva dos homossexuais). A crença na redenção através do outro não deixa de ser uma emocionante prova de que o ser humano ainda acredita no semelhante e no amor.

O triste é constatar que, no duro, muito pouca gente quer namorar uma pessoa de verdade, mas a projeção interna de um ser idealizado. Uma figura conhecida dizia que as qualidades básicas do homem ideal eram ser bem-dotado, passivo e rico. Meio raso como objetivo, não?

É inegável que uns são mais adequados ao romance que outros. Os americanos usam a expressão "boyfriend material" para designar esses objetos de desejo talhados para a convivência amorosa. A tradução literal para o português seria "matéria-prima para namoro", mas o sentido verdadeiro é do tradicional "bom partido", eximido de sua conotação alcoviteira.

Existe um príncipe encantado para cada gosto pessoal. Há os que preferem os mais independentes afetivamente, outros os mais presentes; meninos maluquinhos tatuados derretem alguns corações, enquanto maurícios arrumadinhos são imbatíveis para certa parcela da população.

Há alguns pontos em comum que fazem parte do *checklist* de qualquer pretê. Bem cuidado, saudável, corpinho em cima, trabalho interessante, situação financeira pelo menos razoável, bem-humorado, boas amizades, bom guarda-roupa, experiências anteriores com namoro sério, ter crenças e objetivos compatíveis com os seus, criativo na cama e, acima de tudo, capaz de amar e se entregar.

Quer arranjar um namorado? Então comece por se tornar você mesmo um boyfriend material de verdade.

A GLENN CLOSE DE CADA UM

A perspectiva da solteirice traz os fantasmas de experiências estranhas passadas nesses períodos de entressafra em que ficamos sempre mais expostos a todo tipo de acontecimento.

É difícil saber o que se passa na cabeça dos outros. Trabalhamos sempre com o material fornecido por nossas próprias experiências pessoais, e tudo que podemos fazer é projetar sobre o próximo o que sentimos, desejamos e tememos.

A famosa Alex de *Atração Fatal*, a executiva paranóica vivida por Glenn Close, que destrambelhou após ser abandonada por um Michael Douglas pai de família, é o protótipo da loucura à qual receamos ser submetidos quando nos envolvemos com um desconhecido.

Como o filme foi realizado no final dos anos 1980, a identificação mais generalizada e óbvia foi o paralelo com a aids e os riscos advindos de relacionamentos extraconjugais. Essa leitura é até possível, mas me parece muito mais razoável que o roteirista tenha mesmo falado da Glenn Close carente que existe dentro de cada solteiro ou casado prestes a ser abandonado.

Apenas a estabilidade emocional, e talvez certo tédio, são capazes de afastar o fantasma da Glenn Close. Ela pode baixar, como um encosto, em qualquer um a qualquer momento. Difícil dizer quem está livre dessa fraqueza emocional suscitada pelo desejo não correspondido do outro. Apenas a experiência de uma paixão avassaladora sem contrapartida é capaz de testar os limites da loura assassina de coelhos que se encontra escondida em recantos da mente humana.

Ninguém está livre de se desesperar por amor, nem o mais germânico dos machões. Ninguém está igualmente livre de despertar em outra pessoa a loucura possessiva. O medo de ser submetido a uma situação estressante como essa não deixa de revelar a identificação interna desse tipo de sentimento.

Nunca é possível prever as expectativas geradas em você ou no outro pelo início de um relacionamento. Nunca é suficiente sinalizar explicitamente suas intenções ao iniciar um encontro, mesmo que sejam nulas. Melhor pecar por certa rudeza do que deixar margem para que o outro projete algo que não existe.

O TABU DA SEGUNDA VEZ

No caso de pessoas bem resolvidas, encontrar alguém para uma saudável sessão de diversão e sexo é tarefa bastante simples e descomplicada. Tomadas as devidas precauções (leia-se não beber além da conta, não levar totais desconhecidos para casa, não aceitar balinha de estranhos, sexo sempre seguro etc.), a troca de energia é prática saudável entre dois (ou mais) seres humanos, faz bem para a psique e para a pele, desobstrui os chacras. Tudo seria lindo se fosse sempre fácil assim.

Muitas vezes, o que aconteceu foi bom e fica aquela vontade de um bis. Mas o repeteco implica certo comprometimento, admitir que aquela pessoa vale algo mais do que um encontro, que ficou faltando alguma coisa que ainda merece ser checada.

E é justamente nesse momento que acende aquela luz vermelha e o robô sai balançando os braços: Perigo! Perigo! Se ele liga, deve ser uma Glenn Close querendo tragar você para um relacionamento. Se você fica com vontade de ligar, pode ser uma carência estranha, e é melhor resolver na terapia do que se expor inutilmente.

Relaxe; dê uma chance à humanidade. Quem sabe não é só um outro ser bacana querendo dividir com você algo mais do que uma descarga de espermatozóides.

Apenas tome com o outro o mesmo cuidado que gostaria que tivessem com você, de preferência sem criar expectativas e evitando maiores traumas.

A liga com a outra pessoa começa a se configurar quando o sexo pega de verdade, o que pode acontecer de primeira. Ou não.

Mas o que exatamente significa ser *bom de cama*? É possível que uma pessoa funcione sexualmente com alguns e com outros não? Existem fatores absolutos que tornariam alguém uma unanimidade, ou é tudo uma questão de pele?

Um corpo em cima, genitália bem formada, quadril solto e uma língua bem treinada são, em princípio, pré-requisitos para os candidatos a Casanova. Já tive experiências incríveis com tipos todos feios (até nos mínimos detalhes) que me fizeram repensar sobre a inevitabilidade da relação tesão-beleza. Para os homens, muito mais do que para as mulheres, o fator estético tem importância fundamental. Reagimos inicialmente aos estímulos puramente visuais, como um rosto bonito, abdominais desenhados, uma boa bunda ou um bíceps volumoso. Ao contrário de muitas mulheres interessantes, que são capazes de enlouquecer por figuras que dificilmente se dariam bem se fossem gays e, no entanto, conseguem exibir uma impressionante coleção de fêmeas conquistadas.

Mesmo que eles tenham um charme oculto, é impressionante como conseguem chegar até lá.

Como se dá a combinação física entre dois seres humanos? Onde está essa liga química popularmente conhecida como amor de pica? No membro em si?

Será que esse *amor que bate e fica* só se expressa pelo sexo por uma impossibilidade de interação em outras áreas, ou porque é mais fácil se limitar ao ato sexual do que se entregar emocionalmente?

O problema do amor carnal é que é bem mais difícil se desligar dele. É uma dependência, como a do cigarro, que só se cura com patch de nicotina, ou depois de uma crise de abstinência. Não tem outro jeito.

Fico me questionando se o ideal não seria buscar relações menos intensas fisicamente. Como um amigo sugeriu, separar totalmente sexo de amor.

Seria uma maneira racional de se poupar de futuros sofrimentos?

AMOR GAY É POSSÍVEL?

A maioria de nós foi habituada ao padrão de relacionamento em que os papéis masculino e feminino são bastante distintos. Mesmo com a evolução dos costumes, mantém-se uma questão biológica que estabelece uma determinada dinâmica nas relações dos heterossexuais, que seguem sendo maioria folgada em qualquer pesquisa de opinião.

Nas relações entre pessoas do mesmo sexo em que um dos dois não assume o papel do sexo oposto (isso acontece também, mas é um caso específico), costumam ser duplamente ressaltadas determinadas características dos sexos masculino e feminino.

As meninas, geralmente mais preocupadas com a relação em si, quando juntas perdem os limites do razoável e tendem a gastar horas incontáveis questionando os caminhos da vida em comum.

Os rapazes, atirados e com facho freqüentemente aceso, por qualquer coisa abrem mão dos namoros para buscar novas experiências e hipervalorizam a liberdade individual.

Será que isso inviabiliza relações duradouras, ou é tudo uma questão de buscar parâmetros distintos?

Relações entre pessoas do mesmo sexo carecem de referências públicas, por isso vivemos tendo que criar nossos próprios parâmetros. Isso pode significar uma grande vantagem.

Apesar de para muitos parecer mais fácil e seguro seguir o modelo heterossexual de relacionamento, é possível estabelecer novos papéis, abandonando as velhas expectativas, construindo um novo padrão de convivência.

Ou, melhor ainda, chegar à conclusão de que simplesmente o novo padrão pode ser a falta de padrão. Cada casal negocia sua relação de acordo com suas especificidades.

Pode parecer difícil, quase impossível. Mas quando funciona é imbatível.

Podem-se criar fantasias, imaginar um mundo dourado de tesão e paixão, fazer planos para o futuro e simplesmente esperar ser correspondido. É seu direito.

No entanto, as chances de alguém querer exatamente o mesmo que você, com a mesma intensidade e no mesmo momento, são de uma em um milhão, para ser bem otimista.

Projetar pura e simplesmente seus desejos e necessidades no outro é receita certa para frustração. A fórmula para evitar que isso aconteça inclui ceder, renunciar, aceitar sucessos parciais, talvez até fingir que está tudo bem. E não é para se frustrar, não.

São necessários dois para se dançar um tango, como dizem os americanos. É bom lembrar também que há sempre um que conduz – ainda que a condução varie de acordo com o momento ou situação. Se os dois quiserem conduzir ao mesmo tempo, o resultado virá na forma de pisões e perda do ritmo.

O troca-troca de papéis, e por que não também na cama, pode ser a grande contribuição dos gays à construção de um novo casamento, bem mais possível que o atual.

A BICHA SANDY

Começa por uma inviabilidade legal. Até que mude a legislação ou topem um casamento por conveniência, gays e lésbicas estão condenados a nunca mudarem de estado civil, mesmo que vivam a vida inteira sob o mesmo teto com uma pessoa. Por mais que conheça alguns casos bem-sucedidos de casais que compartilham uma vida em comum há anos, eles são artigo raro.

As garotas nesse ponto são mais bem-sucedidas que os rapazes, mas cometem alguns exageros que se transformam em objeto de generalizações e piadinhas infames (Sabe como uma lésbica vai ao segundo encontro? Com o caminhão de mudanças!).

Solteiros por força da lei, muitos homens acabam jogando fora belas oportunidades de felicidade em nome de uma independência que pode acabar se confundindo com solidão. Nem todos pensam assim, e por isso acabam se isolando de outra forma.

Um conhecido que se define como "irremediavelmente romântico" se queixa de ser vítima de certo preconceito por parte dos amigos. Ele diz ser constantemente chamado de "bicha Sandy", porque idealiza encontros cheios de paixão sem sexo e acredita na transa como consumação de uma relação.

A própria Madonna já declarou que é a favor do sexo a partir do quinto encontro. Muito bonito em teoria, mas duvido que ela própria conseguisse segurar o facho todo esse tempo antes de sossegar o rabo com o marido inglês. Acima de tudo, é importante não cair na cilada do preconceito ao contrário e dar aos que acreditam no amor romanesco a chance de vivê-lo sem culpa.

POR RELAÇÕES MAIS SIMPLES

Recebi o convite de casamento de duas pessoas queridas e fiquei ultraemocionado com a sinceridade e simplicidade do texto de apresentação da cerimônia. Eles contam em frases curtas a maneira como se conheceram e como essa história de amor se desenvolveu. Já tive um relacionamento bem próximo com um dos cônjuges, e nutro pelo novo casal um carinho enorme. Os dois eram grandes amigos que se envolveram emocionalmente, e agora passam a compartilhar um projeto de vida, que inclui a chegada de um bebê. Tocou-me acima de tudo o fato de eles superarem tabus e quererem tornar oficial essa relação. Deixam de ser namorados, amantes, amigos, e assumem, sem medo de serem felizes, o título de casados.

Ando encantado com a possibilidade de viver relações mais simples, sem grandes neuras em nomeá-las. Amigos recentes que chamo de amigos sem a preocupação de estar exagerando. Passantes com quem me permito trocar impressões filosóficas sobre a vida. Conhecer a família do cara com quem comecei a sair sem temer estar avançando sinais.

Nunca foi um problema ficar ao lado de quem gosto. Faz toda a diferença sentir e expressar carinho sem precisar se conter, nem que seja uma mãozinha boba em cima da mesa. Sem medo de nutrir expectativas. A manifestação pública de afeto não deixa de funcionar como a legitimação de uma relação. É bom dosar bem e tomar cuidado com o mico. Melhor sambar miudinho para não deixar a peteca cair, não desperdiçando energias com supérfluos.

E correr atrás do que conta de verdade.

QUAL É O CASO?

Uma série de questões são levantadas quando se começa a trepar com alguém várias vezes, sem que a situação evolua claramente para um namoro. Dizer que não rola nada é tapar o sol com a peneira. O que às vezes pode ser a melhor opção.

Algumas variáveis podem determinar a inviabilidade do namoro: se um ou ambos estiverem comprometidos, se o clique só acontece durante o sexo e nunca fora dele, ou se houver indisposição de um ou de ambos para a própria prática do namoro.

Afinal de contas, a partir de qual momento uma transa se torna um caso? Seria apenas questão de freqüência, intensidade ou objetivo? A denominação depende de um acordo entre as partes?

Cada um sabe de seu caso e não fala muito dele a não ser na terapia ou com os amigos mais íntimos. Se não, deixa de ser um caso e vira um namoro mal assumido.

Só para deixar claro, não faço parte da velha guarda que chama namorado de caso. Acho cafona e impreciso. Caso é bastante específico, algo que não pode acontecer às claras nem com o conhecimento de todos. O próprio Houaiss diz que caso é "relação amorosa, especialmente a clandestina, cacho".

Um amigo casado anda saindo com outro casado há quase dois anos. O complicador é que são dois casais amigos e que não têm suas relações oficialmente abertas. Eles se encontram em motéis das cidades vizinhas no fim de tarde. Depois de quase uma centena de trepadas clandestinas seria natural considerar que eles têm um caso. No entanto, quando perguntei "como anda seu caso com fulano", ele se fez de chocado. Disse que nunca havia pensado dessa forma, que eles só fazem sacanagem. Então fica assim.

Caso realmente parece uma coisa retrô, como aqueles pais de família rodrigueanos que mantêm casos por anos antes de se desquitarem. Tijuca pura.

É claro que há uma diferença entre sacanagem e paixão. Caso entre homens não tem "te amo" sussurrado no ouvido, não tem demonstração pública de afeto, não tem presentinho que deixe rastro. É típico de mulher, de mulherzinha, romantizar um caso.

Pode não ser o amor da vida, mas também é diferente de uma farmácia de plantão – aquela que sempre atende uma chamada fora de hora mesmo que a última tenha sido há mais de um ano.

O caso é simplesmente um relacionamento que não pode ser.

Neuróticos com medo de se relacionar com mais profundidade devem ser respeitados e mantidos prestando o relevante serviço social de dar prazer ao resto da humanidade.

Por isso não perca tempo projetando em alguém sentimentos que não prosperarão. O I Ching repete em vários hexagramas que o homem superior se preserva e o inferior se perde na busca incessante.

Alguns parâmetros para definir o que seja namoro devem ser respeitados: transar com alguém duas vezes ainda não o torna namorado. Por outro lado, sair constantemente durante um mês, com direito a sexo, telefonemas e troca de e-mails, e achar que está apenas "enrolado" denota inaptidão para encarar compromissos.

Assumir que está namorando alguém exige certo desprendimento, isso é verdade. A multidão de gente bonita, interessante e disponível no mercado deixa qualquer um inseguro na hora de fazer uma opção.

Pode parecer mais fácil pular de galho em galho, não se comprometer e continuar desfrutando dessa aparente liberdade. Uma coisa meio colibri, tirando um pouquinho do néctar de cada flor e já voando para a próxima, mas sem apreciar integralmente o gosto de cada uma.

Assumir uma relação é também legitimá-la. Deixar claro para você, para o outro e para os outros que existe uma intenção de investimento e um vínculo a ser preservado. É natural que surjam dúvidas e uma série de expectativas que podem não se realizar. No entanto, fugir dessas oportunidades que nos são oferecidas é se render ao medo de evoluir.

AMOR EM TEMPO DE GUERRA

Setembro de 2001

Branco ou preto. Masculino ou feminino. Bem ou mal. Muitos parecem só conseguir encarar o mundo através de um esquema maniqueísta, e com isso deixam de perceber – e aceitar – as ricas nuances da existência. A ignorância e o desrespeito sobre o melhor da humanidade, sua incrível diversidade, geraram as cenas chocantes a que assistimos essa semana e a resposta patética do caubói abobalhado que quer ver sangue.

Esse raciocínio tosco, atualmente no poder nos EUA, levou o ultraconservador reverendo Jerry Falwell a culpar as mulheres que abortam e os homossexuais pela fragilidade da principal potência do mundo, e a responsabilizá-los pelos ataques terroristas.

Aqui, mesmo longe dessa loucura, compartilhamos o baixo-astral bélico, e uma certa urgência se apodera de pensamentos e atitudes. Assumindo certo reducionismo, são perceptíveis dois tipos básicos de reação diante dessas perspectivas sombrias: os que se fecham e os que se jogam.

Os que se encerram em relacionamentos ou em pequenos círculos íntimos delimitam um pequeno território emocional para se sentirem seguros, onde ninguém sai e ninguém entra. Se, por um lado, conseguem aprofundar e amadurecer suas relações e experimentar uma enriquecedora intimidade cúmplice, por outro perpetuam erros e evitam um confronto com a realidade externa.

Já os que se atiram de maneira compulsiva vivem como se um avião fosse cair em suas cabeças, obcecados por novas experiências. São aqueles que, por exemplo, formam as imensas filas que são a marca dos novos clubes gays da cidade. Se, por um lado, experimentam uma gama mais diversa de prazeres, estimulam os sentidos e fortalecem sua individualidade, por outro não desenvolvem relações completas e não conseguem disfarçar o vazio interior.

Romântico irrecuperável, tendo a crer que só o amor recíproco – e a dois – proporciona a felicidade completa. Hedonista convicto, reluto em abrir mão dos deleites proporcionados pelo convívio humano sem restrições. Ou isso ou aquilo, ou aquilo ou isso. Será possível uma trégua entre esses opostos?

DORMIR OU NÃO DORMIR

Durante as noites frias de inverno (isso quando o aquecimento global permite) os contatos íntimos ganham uma nova perspectiva, e fica ainda mais gostoso dar uma boa namorada. Sopinha, chazinho, vinho, lareira, mãos dadas, pernas enroscadas, ficar em casa, ver tevê embaixo das cobertas... A natureza conspira para os programas a dois.

Dormir junto é uma das grandes vantagens de estar casado. Não há travesseiro, edredom ou bichinho de pelúcia que substitua a certeza de um corpo cheiroso e quente a cada noite. Só que dormir junto é algo que exige grande dose de desprendimento, sobretudo com alguém que se conheceu há pouco. Afinal, você está lá totalmente entregue, a guarda rendida, sua intimidade exposta.

Mesmo sabendo de tudo isso, existe certa mitificação no fato de acordar na manhã seguinte com alguém. O peso excessivo dado a esse evento pode acabar transformando um ato despretensioso em algo desconfortável. Dormir junto significa estar namorando? Sinto decepcionar os mais românticos, mas nada indica que sim.

Infelizmente vivemos em um tempo em que é preciso todo cuidado com o próximo. A paranóia se estendeu além das fronteiras do medo da violência. Existe um quê do espírito comunitário no ato de compartilhar um espaço privado com alguém, se despir da armadura e se permitir a troca de energia – algo que vai além da troca de fluidos corporais e que não deixa de ser atividade cujos riscos de contaminação são de, no máximo, uma gripe.

Em dias de frio, melhor ser um pouco mais condescendente, deixar de racionalizar tanto e entender que a proximidade esquenta e não tira pedaço.

A FAMÍLIA QUE SE ESCOLHE

Pai, mãe e irmãos são para sempre. E o bom relacionamento com eles depende da sorte. Gays e lésbicas, que não têm o direito constitucional de formar família, acabam criando outro tipo de núcleo familiar baseado em afinidades e amizades. Uma coisa não exclui a outra.

É o que os gringos vêm chamando de "chosen family" (família escolhida). Problemas e preconceitos vividos em comum fortalecem esses laços, sobretudo em uma cidade de forasteiros como São Paulo. Quem sobreviveu aos piores momentos da aids lembra que foram os amigos e não as famílias de sangue que, na maioria dos casos, seguraram as pontas. Por isso, não dê ouvidos à clássica baboseira de que homossexuais ficam sozinhos na terceira idade só porque não casam e não têm filhos.

Melhor cultivar amigos queridos próximos do que criar um entulho à Nelson Rodrigues dentro de casa, por pura covardia ou carência.

ASSUMINDO NO NATAL

Dezembro de 1997

Mais uma vez, pai, mãe, irmãos, papagaio, cachorro e parentes de sempre se reunirão em torno da mesa de Natal. Mais uma vez, muitos vão ter que desempenhar o papel de solteirão, mesmo tendo alguém com quem compartilhar algum tipo de relação.

Mais uma vez, a avó vai perguntar sobre a namorada, e a saída será a tangente ou uma mentira qualquer para deixar a velha mais tranqüila e desinformada sobre a vida do netinho.

Conforme o tempo passa, vai ficando cada vez mais ridículo continuar fazendo a linha adolescente solteiro; mais cedo ou mais tarde, essa situação vai forçar um inevitável afastamento de pessoas próximas.

Na maioria dos casos, a desculpa dos gays é falta de estrutura para entender as diferentes possibilidades de expressão sexual, como se as pessoas vivessem em uma bolha de plástico, e ninguém desconfiasse de nada. Muito provavelmente o problema é de quem insiste em não assumir a própria vida.

Exemplos não faltam e são quase sempre patéticos. Robert Mapplethorpe, cujas fotografias ficaram conhecidas pelo teor explícito de homoerotismo, morreu no auge da fama mundial tentando esconder o trabalho de seus pais.

Cheira lição de moral? Não é mais estranho ainda ter que criar uma fantasia sobre sua vida particular ou apostar que todos acreditam que você seja um feliz assexuado?

Ideal seria aproveitar o espírito de compreensão e boa vontade que toca as pessoas no período das festas e sair do armário em grande estilo, ao menos para aquela pessoa mais chegada?

Avalie e, se for o caso, corra o risco.

NÃO CONFIE EM NINGUÉM COM MENOS DE TRINTA

Um amigo quase quarentão diz que, apesar de teoricamente preferir homens de sua idade, só consegue se relacionar com rapazes com menos de 25 anos. Essa idade, chamada por uma jornalista balzaquiana de IPP (ou Idade Padrão de Pretês), seria um divisor de águas entre a pós-adolescência e a fase adulta. Ele afirma que, apesar de mais interessantes e capazes de manter uma conversa de seu interesse, pessoas com mais de 30 seriam praticamente impossíveis de se relacionar. O motivo não seriam as rugas ou flacidez da pele. Muito pelo contrário.

A partir dessa época da vida, homens e mulheres já teriam estabelecido seus gostos e manias e se recusariam a mudar hábitos ou abrir espaço em suas rotinas para outrem. E, geralmente, já passaram por desilusões que os tornam mais prudentes antes de se entregar a uma relação. Os mais jovens, inexperientes por definição, ainda que alguns se sintam rodados, mantêm certo fascínio e a crença em novos encontros. O que não deixa de ser, por si só, encantador. Meu amigo acha que consegue manter o controle da situação em seus romances juvenis, já que as crises por que passam seus namoradinhos são suas velhas conhecidas.

Ledo engano. Não há controle certo quando alguém se apaixona de verdade, independentemente de quão velho ou novo seja o objeto da paixão. Se restringir pelo gênero já constitui um limite, calcule o desperdício que é fazê-lo pela idade.

MACHÃO GAY

O cara tem trinta e tantos anos, inteligente, bem de grana e bonito (poderia dedicar algumas horas semanais à cara academia que paga sem usar), e está envolvido com um ninfeto argentino pós-adolescente, recém-exilado da crise econômica em seu país. Eles se conheceram há três meses numa boate, e uma semana depois do primeiro encontro não só estavam morando juntos, mas o balzaquiano já sustentava integralmente o garoto.

Nada contra as relações baseadas no antigo padrão marido-banca-tudo, mas é preciso reconhecer que nem entre os heterossexuais esse padrão é bem-visto nos dias de hoje. Se ele estiver bem comido, satisfeito e seguro, todos que criticam essa aparente cilada deveriam engolir seus preconceitos e apoiar sua busca pela felicidade. Só que esse não é o caso.

Ambos já estão saindo com terceiros, não existe uma troca afetiva, muito menos intelectual, e o sexo, segundo suas próprias palavras, poderia ser melhor.

O que torna a situação mais intrigante é que existe outro homem, que em mais de uma ocasião demonstrou intenções sérias e já chegou até a mencionar a palavra tabu "apaixonado". Mas como tem quase o dobro da idade do atual namorado e representa um risco real de mudança em sua vida, não encontra contrapartida para seus sentimentos junto ao nosso machão gay.

A impressão é que existe uma insistência em manter essa situação apenas por questão de status. Ele sente que é mais fácil manter uma relação na qual faz o papel do homem, demonstrando sua virilidade ao desfilar publicamente com um garoto que em nada desafia seu status quo de machão, mesmo sendo gay.

Nesse ponto em nada difere do mais careta dos cinqüentões em surto com suas princesas carolas.

Ele está redondamente enganado se pensa estar despertando inveja com seu pupilo. Compaixão, talvez. Não há nada mais invejável que um coração tranqüilo. E de preferência bem-correspondido. É impressionante como a vida oferece oportunidades incríveis e que muita gente, por uma vaidade tola e incongruente, inadvertidamente deixa escapar.

MEDO DE NAMORAR

R. é um dos caras mais desejáveis de São Paulo. Aos 28 anos, conquistou uma situação financeira bastante razoável trabalhando na área de novas tecnologias, tem um corpo sarado (mas sem exageros), um rosto de uma beleza nada óbvia (e por isso mesmo ainda mais interessante), é dono de uma incrível coleção de CDs e se veste sempre com roupas certas. Bom de papo, bom de cama (diz a lenda), bom caráter. Ele só tem um defeito aparente: quer namorar a sério.

Cansado de anos na sacanagem, ele busca incessantemente um companheiro estável, mas não consegue encontrar ninguém disposto a dividir com ele pelo menos a esperança de um amor eterno. Ele nem sequer é muito rígido com relação a tipos físicos: já o vi com homens bem mais velhos, ninfetos, magros, gordinhos, carecas, cabeludos, já que não tem nenhuma dificuldade em encontrar parceiros sexuais.

Muitos o querem até para dar uma namorada. Desde que o conheço, nunca conseguiu emplacar mais de um mês com ninguém. Nas últimas semanas deu para repetir aquela ladainha de que gays não servem para namorar e que tem medo de ficar velho e sozinho.

O que será que ele anda fazendo errado?

O que mais existe por aí é gente dizendo que quer namorar, portanto ele não deveria ter dificuldade em encontrar alguém.

A primeira pista para tentar solucionar o caso pode ser o fato de ele não conseguir se interessar por ninguém por muito tempo. Encontrar um namorado é apenas questão de estar pronto para tanto. Por "pronto" entenda-se estar com o coração aberto de verdade e disposto a investir na função que é namorar.

Depois de algumas semanas de paixão e convivência intensas, sempre começam a aparecer os defeitos e lados escuros que todo ser humano tem.

É nessas horas que é preciso relevar e aceitar o outro como é.

Quando R. está com alguém, fica sempre inseguro se teria feito a opção certa. Existem milhares de homens interessantes dando sopa, principalmente quando você está envolvido com alguém. O compromisso detona esse questionamento logo na primeira paquera frustrada.

Ter que segurar a onda de transar com outras pessoas é parte importante de quase todo namoro, e gera uma cobrança. O namorado teria que suprir todas as necessidades de R. por estar "tolhendo" seu tesão.

Não sair com outras pessoas é um dos motivos que leva a maioria das pessoas ao namoro. O sexo livre tem mais graça quando não se pode tê-lo, e em geral não o temos por opção. Basta não namorar para poder sair com quem quiser.

Depois de tempos na luta, acaba perdendo parte da graça. Os solteiros sabem muito bem disso. Até que chega a hora em que tudo que se quer é alguém bacana do lado.

Mas realmente não pode ser qualquer um.

R. não deve tapar o nariz e engolir o primeiro que aparecer. Só deve abrir mão da perfeição que nunca encontrará – que também não pode oferecer – e aproveitar os ganhos que a intimidade e cumplicidade trazem a qualquer relação (incluídos aí o sexo, que costuma melhorar com o tempo).

Ou então que deixe de frescura e volte à putaria sem encanar, e permita que a humanidade desfrute de seu corpinho.

BICHA + SAPA = MICO

À medida que o tempo avança, solteiros começam a se deparar com o fim da juventude no espelho e a possibilidade da solidão na terceira idade. Os casados certamente passam pela mesma crise, mas sempre contam com a possibilidade que a acomodação a dois oferece.

Em uma sociedade que privilegia o frescor da beleza jovem – e entre gays esse fator é ainda mais relevante –, depois de certa idade começa a se restringir o espectro de pretendentes.

Muitos homens após desilusões amorosas acabam desistindo de procurar parceiros fixos e optam pelo caminho, aparentemente mais fácil, do matrimônio com uma mulher.

Quando a paixão é verdadeira e acontece naturalmente, nada mais bonito. Triste é ver um casamento se consumar para sublimar o desejo ou, pior ainda, apenas para tentar ser aceito pela sociedade. O resultado costuma ser patético, e o novo ex-gay acaba sendo motivo de chacota maior pelas costas. Antes manter a dignidade, se assumir em grande estilo e criar uma família de amigos sinceros.

Se a proposta for uma companhia para viagens ou oficializar uma grande amizade por questões de herança ou desconto no imposto de renda, vá lá. Mas uma união de fachada apenas para tentar faturar em cima da mentira (como no caso de certos artistas, políticos e publicitários conhecidos que o fazem apenas por questão de imagem) é covardia deplorável, alimenta a homofobia e merece uma vaia pública.

Alguns casais que desenvolvem uma relação de respeito conseguem administrar a situação de maneira mais honesta, observando os limites de cada um e permitindo certa liberdade sexual.

Não concordo com a opinião de radicais de que haveria uma impossibilidade de mudança de orientação sexual.

Ela pode até acontecer, mas nunca prosperará se sua motivação for outra além do tesão.

ECONOMIA DE ELENCO

Gabriel era casado com Joana e se separou porque se descobriu gay. Nos primeiros anos do casamento chegaram a morar em um esquema comunitário com Adriana, irmã de Gabriel, e seu então marido Renato. Gabriel agora está namorando o ex-cunhado Renato e Adriana, que também mudou de time, está saindo com a irmã de Joana. Joana, por sua vez, mantém um affair com um ex-caso de Gabriel. Resumindo: uma mixórdia.

Gabriel encontrou um nome mais simpático para essa salada de frutas: economia de elenco. Em tempos de cortes orçamentários generalizados, essa não parece ser má idéia para roteiristas mexicanos.

Outra amiga também padece dessa síndrome. Insiste em se manter apegada a dois ex-pretês, se revezando entre um e outro, por pura preguiça de se lançar à procura de novidades.

Outra ainda acaba de repetir o famoso paradigma de economia de elenco, tão popular entre as lésbicas. Separou-se da namorada de anos para ficar com a melhor amiga do casal.

É fácil entender a praticidade da coisa. A cada relacionamento que termina, ou nova possibilidade que se esgota, vem aquela preguiça de começar tudo de novo. Repassar o roteiro de sempre: contar suas preferências alimentares, checar os lugares que o outro freqüenta, conhecer os amigos dele, apresentar seu cachorro. É claro que existe o frisson de conhecer uma pessoa nova, mas na enésima vez que esse ritual se repete fica difícil manter o entusiasmo.

Só mesmo uma paixão avassaladora para subverter roteiros preestabelecidos.

DIA DE ASSUMIR

Doze de junho é dia de assumir. Todas as relações que estão meio nebulosas passam pela prova de vitrines, anúncios, spams e promoções em forma de coração. Não tem tico-tico-no-fubá certo. Quando chega esse dia, é necessária uma definição: ou namora ou não namora. Ou adere ao pacote completo, jantar-presente-motel, ou finge de morto. Não vai ser possível sair com aqueles dois ou três pretês que andam rolando. Ninguém vai a um encontro impunemente no Dia dos Namorados.

Se não tiver certeza, melhor enfrentar o fato de estar solteiro. Mas passar o Dia dos Namorados sozinho não é como ser judeu no Natal? O pior é que nessa data não existe nem amigo secreto.

Não se deixe abater. Finja que é um dia como qualquer outro, caia na noite ou tome um Lexotan.

Se decidiu assumir seu namorado, que tal mostrar ao mundo que se orgulha dele? Como não existem restaurantes assumidamente gays, a solução para a maioria fica entre jantar à luz de velas em casa ou encarar um restaurante "normal".

Não se deixe oprimir pela esmagadora maioria de casais heterossexuais fazendo demonstrações públicas de afeto. Entre no jogo, não esconda sua paixão e ocupe seu espaço da maneira mais natural. Não é preciso transformar essa data íntima em confrontação, mas lembre-se de que em São Paulo e em outros estados e municípios do Brasil existem leis prevendo multa para os lugares que discriminam homossexuais. Segure com firmeza, em cima da mesa, a mão de quem você gosta.

FRIENDS DO BABADO

O conjunto residencial Sherita Apartments, em South Beach, Florida, é uma versão gay praieira do prédio de Friends. Amigos que entram e saem contando histórias sobre suas vidas e compartilham suas experiências íntimas com grande desprendimento. A única diferença é que batem na porta antes de entrar.

Dani diz estar buscando um namorado. Recusa-se a freqüentar boates porque não seriam um bom local para encontrar namorados, e costuma postar seu anúncio pessoal em sites gays na internet. Enquanto não encontra um pretê, está saindo com um casal, que recebe toda sexta-feira em sua casa.

John diz estar buscando um namorado. Não gosta de sair durante a semana, pois acredita precisar de muitas horas de sono todos os dias. Está apaixonado por um colega de trabalho heterossexual, e prefere resolver seu tesão nas saunas, que considera a forma menos complicada de fazer sexo.

Ernesto diz estar buscando um namorado. É assíduo freqüentador da noite, onde costuma encontrar seus parceiros. Reclama constantemente que não encontra ninguém disposto a uma relação "séria".

Beto diz estar buscando um namorado. Esteve casado por sete anos, separou-se há quase dois. Entre um encontro e outro, continua saindo com o ex.

Nem Dani, nem Lula, nem Dado nem Beto parecem especialmente infelizes. Todos têm uma vida profissional interessante, um bom círculo de amigos e viajam bastante. Compartilham o nobre desejo de uma relação duradoura. No duro, no duro, não abrem mão da liberdade e do espaço que outra pessoa ocuparia em suas vidas.

Será que eles realmente precisam de alguém? A necessidade de namorar não seria uma mera imposição social, um discurso que já vem pronto e que eles repetem sem saber exatamente por quê?

O doze de junho é um dia como qualquer outro em Sherita Apartments. Aliás, em quase todo o mundo onde São Valentino é o padroeiro dos namorados e comemorado em 14 de fevereiro, é um dia comum.

Namorado não se procura. E um bom namoro, que não seja uma tentativa de proteção de carências e ansiedades, só aparece quando – e se – você está realmente pronto para ser amado.

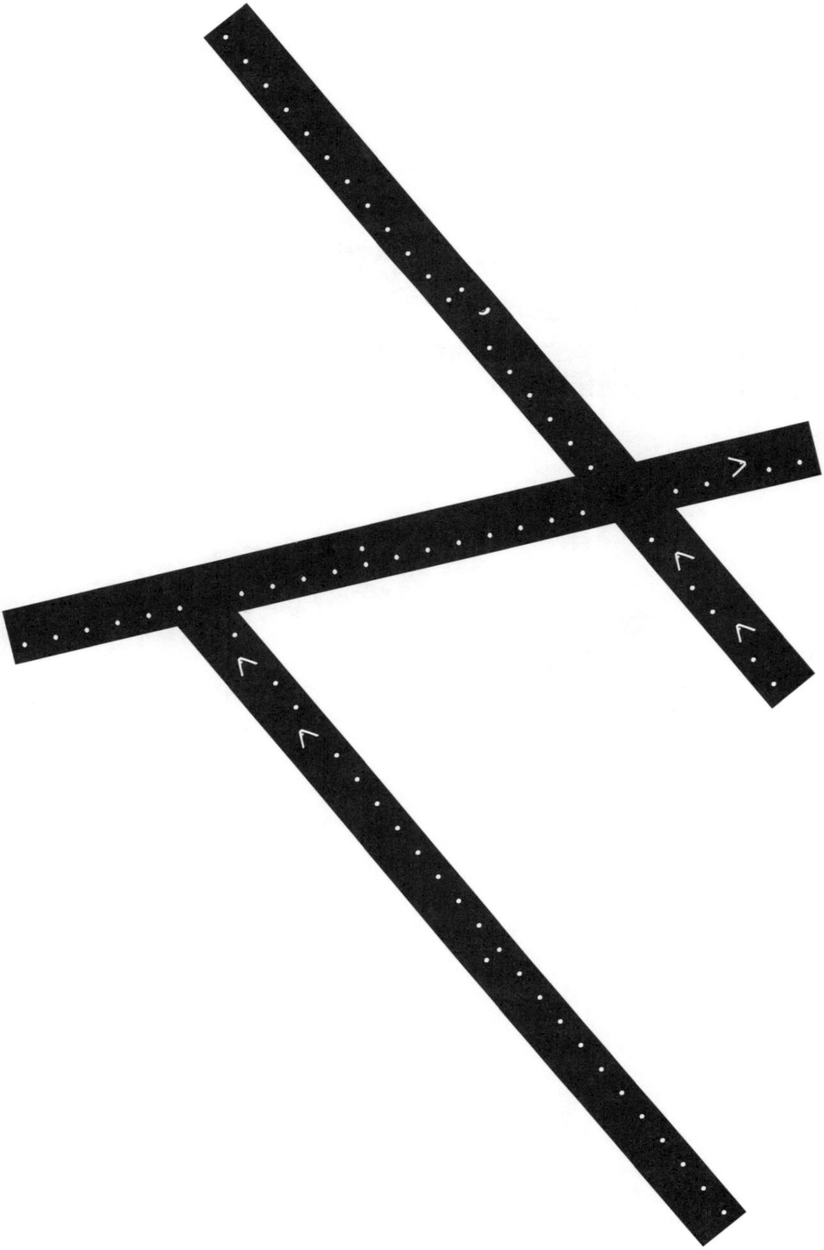

5. O DISCRETO CHARME DA MONOGAMIA

GAYS TAMBÉM COMEMORAM BODAS

Carlos e André estão comemorando dez anos juntos. Assim como um casal lésbico, foram morar sob o mesmo teto apenas um mês depois de se conhecerem e desde então não se separaram mais. Para os amigos gays, são uma referência de relacionamento que deu certo, e mesmo para os héteros formam um casal estabelecido como poucos.

Relacionamentos gays sofrem pressões incomparavelmente maiores do que os heterossexuais. A começar pela sociedade, que não reconhece a possibilidade de dois homens se amarem. O instinto sexual masculino mais atirado, que dificulta a reprodução de um padrão de fidelidade estabelecido nos matrimônios convencionais, também não ajuda nem um pouco. Além disso, os homens são menos dispostos a discutir relacionamentos, atividade favorita das mulheres, que apesar de chata e cansativa acaba demonstrando um interesse maior em segurar as inevitáveis crises de toda relação que dura mais que seis meses.

Antigamente os matrimônios duravam muito, e era costume as lojas fornecerem uma listinha com os anos referentes às bodas comemoradas nos aniversários de casamento. Em algum lugar do passado os presentes deveriam seguir o material correspondente.

Hoje o mais complicado é virar os três meses. Tenho amigos que se consideram "namorando" três dias após terem conhecido alguém. Mas não considero namoro nada antes de um mês, e reservo o termo casado para quem mora junto.

Sugiro uma tabelinha nova para ser afixada nas Roberto Simões e Camicados da vida.

Seguindo esse raciocínio, Carlos e André estariam comemorando suas Bodas de Prata, o que me parece bastante razoável. Namoros, segundo essa proposta, também poderiam comemorar suas bodas. A indústria de presentes só teria a agradecer, pouquíssimos que são os casamentos, hétero ou homo, que duram além da boda de algodão.

BODAS	HT	GAYS
algodão	1 ano	3 meses
madeira	5 anos	6 meses
lã	7 anos	1 ano
estanho	10 anos	3 anos
cristal	15 anos	5 anos
porcelana	20 anos	7 anos
prata	25 anos	10 anos
esmeralda	40 anos	15 anos
ouro	50 anos	20 anos
diamante	60 anos	25 anos

UM POUCO DE HISTÓRIA...

Não confunda: uma coisa é o projeto de Parceria Civil Registrada entre pessoas do mesmo sexo que se arrasta no Congresso Nacional há mais de uma década, e nada mais é que um contrato. Outra, bem diferente, é casamento gay. Por casamento, entende-se cerimônia no estilo véu e grinalda. Por aqui, isso não deve rolar tão cedo.

A história já registrou períodos em que havia todo um cerimonial para marcar a união entre dois homens. Na Antiguidade, os habitantes da ilha de Creta aguardavam ansiosamente o peculiar festim de casamento entre moços. A cerimônia começava com a encenação do rapto de um deles pelo outro, e se consumava com um estupro encenado no meio da praça da cidade, devidamente seguido de um banquete.

Até o século XVIII, quando dois chineses queriam formalizar sua relação, era realizada a chamada "cerimônia de amizade". Os dois sacrificavam uma carpa, um galo e um pato, lambuzavam as bocas com seu sangue e juravam fidelidade. No final, os animais mortos eram servidos assados. O mais novo deveria se mudar para a casa do mais velho, e ganhava de presente uma mulher para fins de procriação.

Para calar a boca dos preconceituosos, registros de época atestam que essas relações eram duradouras e, em geral, valiam para toda a vida.

PETER PAN NO ARMÁRIO

Não há nada mais patético do que tentar disfarçar o óbvio ululante. Um casal de amigos cariocas que vivem juntos há vários anos compartilham há todo esse tempo a mesma casa, cama e empregada, que faz a faxina do apartamento deles na Lagoa três vezes por semana.

Pelo menos cem vezes por ano, eles acordam mais cedo para desarrumar a cama do segundo quarto, supostamente de um deles, com o objetivo de manter as aparências para a faxineira.

Só que a empregada, que trabalha na casa de um outro casal amigo de lésbicas mais bem resolvidas, comentou dia desses que acha um saco ter que arrumar uma cama por nada, já que está careca de saber que os rapazes dormem juntos.

O mais incrível dessa história é que os dois têm mais de 30 e pagam as próprias contas, inclusive o salário da dita cuja. Já perderam centenas de preciosas horas de sono única e exclusivamente por serem mal resolvidos.

Talvez, lá no fundo, o motivo dessa paranóia toda não seja apenas um clássico caso de armário, mas um baita complexo de Peter Pan. Ao montarem o teatro de que moram como adolescentes descompromissados, apenas dividindo as contas da casa, estão enganando a si próprios. Fugindo inconscientemente do compromisso que têm um com outro, deixam de lado a oportunidade de usufruir do melhor da vida adulta.

PARA QUEM ACREDITA EM FAMÍLIA

Semana passada fui ao interior para o casamento de dois amigos. Eles se conheceram há cinco anos, logo após a chegada do carioca à cidade por conta de seu trabalho. Foi paixão à primeira vista, fulminante.

Ambos trintões bem-sucedidos, decidiram formalizar sua união em grande estilo: convite com RSVP, notinha na coluna social local, ternos de estilista famoso, cerimônia com pastor de igreja simpatizante (mesmo os dois sendo católicos), bolo com bonequinhos dos noivos, muita Veuve Clicquot e festa com DJ paulistano.

Os familiares do nativo compareceram em peso. Não faltou nenhuma cena típica dos mais tradicionais casamentos, como a mãe chorando de emoção e priminhos correndo pelo gramado. Estranhei a ausência da família do noivo do Rio. Perguntei a ele por que não tinham vindo. Para minha surpresa, revelou que a família nem sequer sabe que ele é gay. Perguntei se não iria contar agora, casado e com toda essa exposição pública.

"Não, principalmente a partir de agora", respondeu, turvando por um instante a expressão de felicidade que esteve estampada em seu rosto durante todo o dia.

É de responsabilidade dos próprios homossexuais o fato de ficarem trancafiados no armário e manter uma vida dupla, com medo de suas famílias. Muitos preferem não provocar uma crise, que certamente acontecerá com maior ou menor teor dramático, mesmo que para isso tenham de alijar pessoas amadas de momentos importantes da trajetória pessoal. Poucos têm a coragem necessária para enfrentar a situação.

Por isso apelo para o espírito de compreensão e tolerância e conclamo pais, avós, irmãos, tios e primos a darem o primeiro passo no reconhecimento de seus parentes gays e lésbicas. Vocês sabem quem eles são, mas provavelmente preferem não encarar a realidade.

Demandar, ainda que informalmente, que alguém mantenha uma existência de fachada apenas para evitar o desconforto de ter que lidar com a situação é cruel e anticristão.

CIÚME DE VOCÊ

Enrico e Tony formam um casal de jovens bonitos e bem-sucedidos freqüentadores de Braamfontein (vizinhança gay de Joanesburgo, na África do Sul), que namoram há pouco mais de um mês.

Entre eles há um indisfarçável mal-estar cada vez que alguém se aproxima, e por isso são cada vez mais raras suas incursões na noite. Quando Tony avisou que ia ao banheiro do bar, em tom quase interrogativo, como se estivesse pedindo permissão, Enrico respondeu: "cinco minutos".

Para minha surpresa, o primeiro demonstrou uma indisfarçável alegria ao ser objeto do absurdo ciúme infantil e efetivamente voltou dentro do tempo permitido. Quanto tempo o namoro consegue se manter desse jeito?

Sempre acreditei que o ciúme nada mais é que a manifestação explícita dos desejos reprimidos do enciumado e, na maioria dos casos, pouco tem a ver com riscos efetivos de traição por parte do objeto do ciúme. Será que vale a pena investir em um relacionamento baseado na desconfiança?

Dentro de uma relação, é preciso entender que o outro, assim como você mesmo, não está morto para o mundo e as tentações continuam batendo à porta o tempo todo. A solução para o escritor Gore Vidal, que tem um parceiro há mais de 30 anos, foi separar completamente a vida sexual da convivência conjugal.

Para não ficar tudo muito solto e se manter um bom nível de sinceridade, é bom que o casal estabeleça, em comum acordo, algumas regras básicas de respeito mútuo se o objetivo for abrir a relação. Ainda que a regra seja o *don't ask don't tell.*

Podem ser coisas simples e relativamente fáceis de ser respeitadas, como manter a discrição, não repetir parceiros para evitar envolvimento emocional, ou liberar aventuras com sexo oposto (no caso de bissexuais).

É bom lembrar que mesmo o maior dos tesões precisa de novos elementos para se manter ativo após alguns anos. E que o amor verdadeiro é mais forte e poderoso do que qualquer impulso carnal.

LIMITES DA FIDELIDADE

Não importa o tipo de relação: homo, hétero, casamento, noivado, namoro sério, namoro de leve, rolo, caso. Sempre que duas pessoas se predispõem a viver algo juntas, chega o momento em que se coloca a questão dos limites da fidelidade.

Para alguns, ela foi relegada a um status semelhante ao da virgindade, démodée e desnecessária. No entanto, propor monogamia ao ser amado não deixa de ser uma prova de amor que tem lá seu charme, e deve ser considerada com carinho. No entusiasmo do começo pode ser fácil cumprir a promessa. Difícil é manter o compromisso.

Vivemos em um mundo de estímulos sensoriais, onde as oportunidades para trair se apresentam em cada esquina. Já não é mais possível ser preso.

Desde Freud reconhecemos que o impulso sexual do ser humano é, por definição, multidirecional.

Dizer que a fidelidade está no coração pode fazer muito sucesso numa roda social, até você se defrontar com sua cara-metade dando um malho em outrem. Ele pode jurar de pés juntos que aquilo não tem a menor importância, e você fingir que é um ser superior, alma de filósofo alemão, preparado para compreender todo e qualquer impulso humano. Uma coisa é o que você faz e como controla suas emoções. Outra é saber o que o outro sente. Só que não há razão que resista à dor-de-corno.

Mas é sempre bom saber que a fidelidade não é necessariamente uma coisa absoluta. Existem limites e escalas.

Por exemplo, a Escala Kinsey. Já ouviu falar?

No final dos anos 1940, o zoólogo Alfred Kinsey revolucionou o conceito de orientação sexual ao sugerir que, entre homossexualidade e heterossexualidade, existiria muito mais do que uma única e homogênea manifestação da bissexualidade. Doutor Kinsey, que se tornou o primeiro sexólogo, sugeriu uma escala de zero a seis, estando em uma ponta os heterossexuais a toda prova e na outra os exclusivamente homossexuais.

No tocante à fidelidade, o mesmo princípio poderia ser aplicado. Perguntar a um homem que namora se ele é fiel é quase tão embaraçoso quanto questionar a idade de uma mulher com mais de 40. A resposta geralmente é pela tangente.

Alguns relacionamentos gays conseguem colocar de forma mais clara e, por que não dizer, adulta, os limites da fidelidade. Por se tratar de dois homens, que, ao contrário das românticas mulheres, reconhecem suas necessidades e limitações, os termos da lealdade são ajustados de forma mais realista.

Na ponta zero dessa escala estariam aqueles que não traem, nem em pensamento. Esses tipos existem, mas são tão raros quanto o outro extremo, o grau seis, que suporia uma vida sexual absolutamente independente e sem resquícios de sentimento de posse. Incomum e pouco provável, mas possível.

No grau um se situariam aqueles que fantasiam contatos físicos com outros, mas sem formalizá-los. Sua "traição" ficaria nos limites da mente, e apenas um ciumento doentio não reconhece essa realidade. No grau dois estariam as experiências envolvendo sexo virtual, por internet ou telefone.

O grau três já incluiria encontros reais esporádicos e sem compromisso, sem que haja necessidade de o outro saber. No grau quatro, as limitações das escapulidas são negociadas abertamente. Por exemplo, vale transar com outro, mas sem beijo nem penetração. Ou ainda apenas em transas a três, sempre com a presença de ambos. O grau cinco incluiria parceiros fixos e pequenos casos.

Já o grau seis sugeriria uma total liberdade, sem nenhum tipo de cobrança. Esses são ainda mais difíceis de encontrar do que o grau zero. Geralmente ao chegar nesse ponto o casal já não existe mais como tal.

A fidelidade é questão fundamental em qualquer relação, independentemente da orientação sexual, mas creio que ela não deva se balizar só pelo comportamento genital. É preciso, acima de tudo, respeitar o outro e se manter fiel no coração.

MEMÓRIA DE PEIXE-DOURADO

Estou apaixonado. Essa não é a primeira nem a segunda vez que passo por essa incendiária experiência. E, apesar de torcer para que seja definitivo, sei que existe a possibilidade de vir a me apaixonar novamente outra vez ou, sendo ainda menos otimista, outras vezes.

Acredito que é necessária a entrega de corpo e alma para que um amor valha a pena e seja realmente completo. A experiência deveria sinalizar que foi essa troca mais intensa a causa do fim de algumas histórias passadas. Ainda assim, não consigo pensar em um relacionamento de verdade sem confiar na extensão de suas possibilidades.

A paixão nos tornaria cegos ou detonaria uma reação química capaz de deletar da memória tudo o que já deveríamos ter aprendido?

O título do filme irlandês *Goldfish Memory*, deliciosa comédia romântica que no Brasil foi traduzido como Todas as Cores do Amor, diz respeito à teoria de que, assim como os peixinhos de aquário retêm em sua memória apenas os últimos três segundos, os apaixonados também tenderiam a esquecer tudo o que viveram antes de serem arrebatados pelo novo objeto de encantamento.

Ao mesmo tempo que essa anestesia emocional possibilitaria o interesse por outrem, também nos levaria a repetir os mesmos erros. No filme, bissexuais, héteros, gays e lésbicas em nada diferem na maneira como caem nas repetidas ciladas armadas por seus corações.

Esse martírio comum àqueles que não capitulam diante das agruras da vida amorosa parece o mesmo do destino de Carrie Bradshaw no derradeiro capítulo de *Sex and the City*. Ela larga o príncipe encantado russo para ficar com Big, aquele que a faz sofrer há anos. A experiência não deveria afastá-la da possível – e provável – fonte de sofrimento?

Torço para que ela se dê bem com o ex milenar. Melhor se expor e correr riscos do que se preservar e não desfrutar do melhor da vida.

NAMORADO ZIDANE

Julho de 2006

Zidane parecia ser o melhor do mundo, estava quase lá, faltava muito pouco, não tinha para outro. Só que não conseguiu controlar seus nervos e enfiou uma cabeçada no peito do Materazzi.

Foi assim que Zidane jogou fora, no segundo tempo da prorrogação, a oportunidade de ouro de sair consagrado no que deveria ser sua despedida das Copas.

Fez um papelão porque não segurou o destempero.

O mais incrível é que, mesmo com todo descontrole e falta de savoir-faire, o cabeçudo acabou sendo escolhido o melhor jogador da Copa.

Será que foi por falta de opção?

Não era melhor terem escolhido o Buffon que, mesmo sem brilho, segurou todas e não pisou na bola? Talvez a Fifa tenha escolhido o único jogador que realmente se destacou na Copa, já que os brasileiros foram um vexame e os alemães não chegaram a impressionar. O mérito da equipe relativamente fraca da França, que chegou à final, estava no talento do pied-noir.

Parece até um tipo de namorado muito comum, tanto entre casais homo quanto heterossexuais.

O cara parece ótimo, tem tudo para ser o ideal. Dribla, dá bons passes e, o mais importante, faz gols. Só que não segura a onda e não consegue chegar ao final do tempo regulamentar sem perder a cabeça. Arrepende-se, sai de cabeça baixa, faz a cena. Você pensa em escolher outro, tenta encontrar uma alternativa que lhe traga menos dor de cabeça.

No final das contas, você chega à conclusão de que ele, com todos os defeitos, é mesmo o melhor.

Esse é o namorado Zidane.

É PRA DIZER OU NÃO?

Em um episódio de *Seinfeld*, o gordinho George decide dizer "eu te amo" para uma namorada. Só que ela não responde, e ele fica arrasado. Depois descobre que ela era surda de um ouvido, resolve repetir a declaração, e ela diz que já tinha ouvido. E continua sem corresponder ao sentimento. O pobre George fica querendo morrer.

Essa frase é sempre complicada de ser dita, e é bom mesmo que não seja repetida com freqüência. Para manter seu valor, precisa ser usada com a máxima parcimônia. Senão, o que sobra para dizer quando estiver realmente envolvido?

COMO SER DOIS SEM PERDER A UNIDADE

Estar em uma relação estabelecida e estável muda muita coisa na vida de uma pessoa. Como em tudo mais, existem vantagens e desvantagens.

Quando você se dispõe a formar um casal, perde a capacidade de decidir sozinho sobre coisinhas bobas, como ir a um jantar ou passar um final de semana fora. Se por um lado ganha uma ótima companhia para ficar em casa – e no inverno isso é fundamental –, para sair as coisas não são tão simples assim.

Aquele amigo que você acha divertidíssimo, mas que seu namorado encanou que é um mala sem alça, arma uma ida à praia que lhe parece imperdível, mas ele pode não estar disposto a tomar sol. E aquela outra amiga que você adora há anos, só encontra muito raramente, e quando se juntam são horas colocando a vida em dia. Se estiverem acompanhados dos respectivos, a conversa vai ficar truncada e precisará de muitas explicações sobre quem é o quê.

Ao formar uma dupla, você acaba deixando de fazer algumas coisas que pareciam corriqueiras quando estava sozinho.

Por mais que tenha uma relação bacana, é preciso deixar reservado um bom tempo para manobras pessoais e para o bom e velho social.

Espera-se que o relacionamento preencha todas as necessidades afetivas, emocionais e sexuais. Concentrar tudo em uma pessoa só é injusto e cria cobranças desnecessárias.

O tempo gasto com conhecidos, amigos e família é fundamental para o bem-estar emocional e mental, até físico.

Busco a utopia de ser dois e um ao mesmo tempo. Tenho fé que ainda consiga alcançar esse nirvana, ainda na presente encarnação.

CASAIS IMPROVÁVEIS

Tenho observado freqüentemente a formação de casais que, a princípio, jamais formariam um par. Gays, lésbicas ou heterossexuais, pessoas de todas as orientações sexuais formam numerosos exemplos de "casais improváveis".

Encontrei no cinema da Frei Caneca uma juíza, lesbian chic discretíssima, magérrima, vestida com seu tradicional tailleurzinho, assumindo publicamente a relação com uma amiga gordinha, cheia de tatuagens, que é DJ underground. As duas se conheceram há menos de um mês em uma festa e já falam em morar juntas.

Um estilista superbicha foi entrevistado por uma intelectual "uspiana" em uma das primeiras Fashion Week e, com apenas cinco chopes, chegaram aos finalmente. Quase dez anos e dois filhos depois, continuam juntos, freqüentando clubes de swing.

A tez de um colecionador de arte barroca cinqüentão ficou muito mais viçosa desde que começou a namorar, há dois anos, um surfista estudante de comunicação que o idolatra. Eu mesmo, acho, formo um casal desse tipo.

Nenhuma dessas relações envolvem estritamente questões monetárias, senão seriam facilmente explicáveis. Depois de digerida a surpresa inicial, constato que o amor segue trilhas nem sempre óbvias e que a paixão pode surgir de onde menos se espera.

Essas parelhas são ainda uma linda demonstração de que as possibilidades de ser feliz dos que não se prendem a padrões estéticos ou sociais pré-estabelecidos são quase infinitas.

PANOS QUENTES VERSUS ROUPA SUJA

As aparências enganam. Isso todo mundo deveria saber. Mas quando se fala de casais, nem sempre a primeira impressão é a que conta. É preciso enxergar além do óbvio.

São dois casais de amigos franceses, todos vivem juntos há seis anos, os quatro estão na casa dos 30 e moram no Marais. E as semelhanças param por aí.

O primeiro encontro foi um almoço com C&A no Marronier. Como sempre, eles discutiram o tempo todo e discordaram de todos os assuntos. C é vegetariano, fala baixo, fumante, farmacêutico e trabalha em um escritório. A é carnívoro, estridente, arquiteto, parou de fumar e trabalha por conta própria. Já se separaram duas vezes, mas acabam voltando. A primeira impressão de quem os vê é de que o caso não vai bem. Um contato mais íntimo deixa claro que eles se amam muito, fazem planos para um futuro distante comum e é evidente o calor sexual entre eles.

Fui à casa de L&L para um chá das cinco. O apartamento é uma graça, lotado de referências de viagens pelo mundo. Eles compartilham o prazer de bem servir seus convidados. Finérrimos, não saem nunca, exceção feita aos finais de semana na floresta de Fontainebleau, e para isso acabaram de comprar um carro – luxo supremo em uma cidade com poucas e caríssimas garagens. Eles são iguais, inclusive fisicamente, e adoram se apresentar como um casal perfeito.

Nunca os vi discutir em público, mas sinto um clima muito estranho. Flagrei várias vezes trocas de olhares de censura, mal disfarçando o ódio encruado. Como são iguais demais e têm os mesmos objetivos sociais e materiais, provavelmente nunca terão a coragem de se separar.

Prefiro o casal escrachado às bibas finas. No primeiro está tudo ali na cara, sendo tratado de maneira bem aberta. Ao contrário das outras que um dia podem acabar se matando sem ter nunca trocado um tapa em vida.

Melhor lavar a roupa suja sempre em casa. Ninguém é obrigado a testemunhar esses momentos que quase todo casal tem. L&L parecem aqueles casais do tempo dos meus avós, que precisavam parecer estar sempre bem.

Mil vezes uma colocação de pingos nos is, que geralmente vem seguida de bom sexo, do que essa coisa morna, bem comportada, para inglês ver. E que geralmente é sinal de uma cama sofrível.

"VAI CONTINUAR OU VAI DESISTIR?"

Era com essa pergunta que Silvia Bandeira começava o programa *8 ou 800* (exibido no começo da década de 1970 na Globo), onde os participantes escolhiam se iam prosseguir respondendo perguntas sobre um determinado assunto, arriscando o que já tinham conseguido, e tentar alcançar os 800 mil dinheiros (qual era mesmo a moeda na época?) ou parar e garantir o que já haviam conquistado até ali.

Existe uma cobrança social sempre favorável a continuar. Desistir costuma soar sinônimo de covardia. Fazer algumas mudanças no trajeto profissional, emocional ou de amizades muitas vezes implica abrir mão de algumas coisas para conseguir ir em frente. Isso mesmo. Desistir para continuar.

Para continuar um namoro é preciso desistir de algumas coisas. Para continuar em um trabalho, muitas vezes é necessário abrir mão de outro. Para ganhar uma noite de sono, só abafando uma balada.

Um amigo carioca está passando por um drama imenso porque não consegue desistir de uma relação que já acabou. Mais do que amarrado ao ex, está viciado no sofrimento da separação, com medo de abrir mão de algo que é certo. Ele não se expõe, não carece entrar no mercado das carnes novamente. Desistir seria a possibilidade de tocar a vida com todos os seus riscos.

Podem-se perder várias noites de sono, dá aquele frio na barriga. Ao assumir a perda afetiva entende-se que ela representa um crescimento efetivo. Uma ousadia que implica maior exposição e uma nova postura.

É preciso se jogar, pagar para ver. E continuar.

QUEM FICA PARADO É POSTE

É próprio da natureza humana ser tentado a ceder ao tédio da rotina diária. Para vencê-lo precisamos ser criativos e, acima de tudo, acreditar e investir nessa criatividade.

Depois de muito tempo junto com alguém, é preciso criar fatos novos para que a relação não caia em um vazio. Aqueles probleminhas que haviam sido relevados no início começam a ganhar força se as qualidades não forem renovadas.

Não estou dizendo que seja necessário partir para os ménages à trois ou abrir o relacionamento. Para começar, isso nem sempre dá certo. No duro. Acaba funcionando como um paliativo que mais tarde vai ser a fonte de novas questões ainda mais sérias. Não quero dizer que a mesmice se instala tão-somente no sexo. O sexo pode bem ser renovado com o tempo, introduzindo pequenas novidades. E isso se negocia.

O mais arriscado é não conseguir sair de papéis pré-estabelecidos. Ficar acomodado pode parecer prático, mas na verdade é um convite para uma mudança brusca, muitas vezes indesejada. Mais cedo ou mais tarde um dos dois, ou ambos, joga a toalha, e não tem mais volta.

Quando a coisa parece que vai começar a dar uma distraída, é preciso acordar e ver o que se está perdendo.

As tradições dentro de um namoro são uma das melhores partes. Lugares favoritos, termos usados pelo casal e práticas sexuais que mais excitam devem ser usados com freqüência. Mas a coisa não pode ficar só nisso, e é preciso se arremessar em busca de novidades. Pode parecer lugar-comum, mas é fundamental surpreender seu parceiro. Nem precisa ser um suporte atlético de couro ou uma fantasia de Tiazinha. A mudança deve acontecer dentro de você e na maneira como se relaciona com ele.

Pessoas bacanas, gostosas e companheiras são um tesouro que não pode ser negligenciado.

AMAR, VERBO TRANSITIVO DIRETO

Ao contrário do que diz Mário de Andrade, amar não é verbo intransitivo. É fundamental um objeto direto bem definido para completar seu sentido. Amar por amar é fácil. Basta dirigir os sentimentos mais nobres à humanidade ou a uma causa. Trazer o foco desse amor todo para um ser só é que são elas. Amor a familiares, amigos ou animais domésticos não conta. Exigem bastante de você, mas é outro tipo de amor.

Amar alguém do mesmo sexo ainda requer uma força de vontade adicional para subverter convenções. É mais fácil para a grande maioria compreender por que dois homens fazem sexo do que o fato de estarem apaixonados.

Tarefa mais enriquecedora é amar alguém com todas as suas particularidades, individualidades, desejos e necessidades. Amar aceitando todos os seus defeitos e, mais ainda, por causa deles.

Um amigo diz que o amor não escolhe alvo. Mas quando escolhe, deve fazê-lo sem críticas. E é aí que reside a dificuldade.

Incorremos constantemente no erro de tentar encaixar os objetos do afeto a modelos pré-concebidos e tentar mostrar como eles deveriam agir.

Só na porrada se descobre que ninguém pode ser moldado. O outro pode ouvir um pouco, absorver uns toques ou, pior de tudo, fingir por um tempo que está fazendo o que você quer só para não se aborrecer.

Melhor aprender com ele a treinar sua capacidade de compreender. Só assim é cabível dizer que se ama de verdade. Qualquer coisa além disso é mera projeção narcisista.

6. REDOMA ESTÉTICA

. . . . (. .) . . . . .

PRADA EM CARUARU

Às vezes, tenho a sensação de viver em uma redoma onde todos tentam reproduzir as páginas da Wallpaper. Duro é confrontar o resto do mundo. Estive em uma reunião sindical e fiquei impressionado com a cafonice dos participantes, que pareciam não se importar com seus ternos mal-ajambrados e cabelos sem corte. Talvez 10% dos presentes fossem homossexuais, alguns membros da militância até, mas diria que nenhum deles parecia ser gay.

Ser gay é mais do que uma orientação sexual: é um estilo de vida que requer certo compromisso visual. Pode parecer vão e superficial, mas gays têm essa contribuição a dar ao mundo: torná-lo um lugar mais belo e povoado por pessoas mais bem aparentadas. Se o corpo é considerado um altar da alma, ter boa aparência não deixa de ser uma missão cármica.

Se por um lado ela implica o risco de apuros em certos ambientes mais conservadores (tente sair com um Prada básico na feira de Caruaru), por outro traz uma série de ganhos, sobretudo estéticos. Ser notado é fazer a diferença no bom sentido. Como diz a publicidade, o mundo trata melhor quem se veste bem – mesmo que seja gay.

EXISTE UMA MODA GAY?

Tufi Duek, o dono da Fórum, negou que tenha afirmado em entrevista publicada em meados de 2003 que "o estilista pode ser gay, mas se a roupa for gay não vende".

É importante que o empresário tenha corrido para limpar a imagem de preconceituoso. O ato é tímido se comparado aos milhões gastos em campanhas publicitárias dirigidas ao mercado gay no exterior por gigantes da moda como Calvin Klein, Banana Republic e Lacoste.

A suposta declaração de Tufi esconde uma verdade e um mito: Ainda é muito comum entre homossexuais, tanto homens quanto mulheres, uma antiga obsessão em não parecer o que são. É a "pintafobia" que costuma ter resultados desastrosos do ponto de vista fashion. Não há nada mais cafona do que uma caminhoneira metida em um tubinho ou uma bichona de camisa xadrez e mocassim tentando passar desapercebidos. Melhor ser identificado como gay e ter estilo do que viver no obscurantismo sem nenhuma elegância.

Esses bastiões da breguice enrustida vão poder relaxar e soltar a franga sem medo de serem felizes. Já há algumas temporadas vários estilistas renomados propõem uma mudança radical no visual masculino. Brilhos e lantejoulas, bambis e paetês aparecem até mesmo em marcas direcionadas para um público francamente masculino e streetwear. Mudou a moda ou mudaram os homens?

Não faz muito tempo, pintar o cabelo e furar orelha eram "coisa de veado". Hoje qualquer garoto de oitava série que queira fazer sucesso com as meninas da classe faz luzes e ostenta um par de brincos. Se tipões musculosos eram símbolo de masculinidade na era Rambo-Schwarzenegger, são os gays no século XXI que revelam idolatria por corpos através de bíceps e peitorais avantajados.

É bom lembrar que não há padrão que dure para sempre. O que era considerado bichice ontem pode ser tendência de macheza amanhã. E vice-versa.

Assim sendo, use o que faz você se sentir bem e mais bonito, sem se preocupar se vai parecer gay ou não. Se resenhas sobre os desfiles da Fashion Week são contraditórias, que dirá os conceitos sobre masculinidade das roupas.

Além do mais, hoje em dia é quase impossível dizer qual seria um visual gay. Emos, queer nerds, góticos, mauricinhos gays, musculosos, ursos, gay bikers, clubbers, abravanados... Há tantos subgrupos, tantas tribos, tantas baladas diferentes; cada uma estabelece sua maneira de vestir, e muitas nem sequer são restritas a determinada orientação sexual.

Não existe moda gay, por uma razão muito simples: não existe um jeito gay de vestir. Dizer que gay fica sem camisa, de jeans, cordão de prata e óculos escuros, com grife cara e aparente, é confundir uma turma específica, com bastante visibilidade na mídia, com um grupo extremamente diverso.

É verdade que durante séculos os homossexuais tiveram que recorrer a pequenos artifícios para se identificarem em uma sociedade que reprimia os diferentes. Felizmente, as coisas evoluíram, e hoje, com exceção de tipos mais radicais, é difícil dizer, apenas pela roupa, quem gosta do quê.

Mas uma coisa é certa. Você atrai determinado gênero de pessoa pelo tipo que constrói, o que vale, sobretudo, para gays e lésbicas que costumam buscar semelhantes. Barbies com suas calças atochadas, camisetas minúsculas e correntes de prata costumam andar em bando. Maurícios gays de camisa xadrez formam composés de texturas. Bolachas de cabelinho raspado vão ao barbeiro juntas. Ursos batem barriga com seus suspensórios. Pares discordantes existem, mas são raridades por aí.

BOTOX OR NOT BOTOX

Quando os 30 vão chegando, surgem os primeiros sinais, mas a maioria não se dá conta. Ao se aproximar dos 40, no entanto, não é mais possível tapar o sol com a peneira.

A atual febre de Botox e similares (técnica que usa a toxina botulínica para paralisar músculos faciais e disfarçar rugas) tem angariado adeptos, sobretudo, entre artistas, políticos, mulheres heterossexuais, metrossexuais e homens gays.

Os esteticistas vão querer me processar, mas acho mais fácil encarar uma ruga do que uma toxina estranha desnecessária no organismo. E vamos combinar, o resultado nem sempre melhora o rosto de quem faz.

É comum ver pessoas se transformando em seres levemente parecidos com o que eram.

Com o tempo, os parâmetros vão mudar e a idade vai passar a ser denunciada não apenas pelas linhas de expressão, mas pela contenção de áreas do rosto.

E o dinheiro empregado nas aplicações semestrais de Botox vai servir como desculpa para continuar mentindo idade?

Esse processo é parecido com o que acontece com um homossexual enrustido: não dá para se esconder, todo mundo sabe que tem algo diferente e finge que não está percebendo nada.

Não é bem mais fácil a vida de um assumido? Assim também deveria ser para quem assume a idade. Cuidar da aparência é fundamental: pele e corpo bem tratados só aumentam a auto-estima e ajudam na conquista.

Do mesmo modo que não é preciso botar uma Carmem Miranda para sair do armário, ninguém precisa bombar a cara para ficar atraente. O cara mais sexy que conheço já passou dos 50, faz um sucesso louco com homens e mulheres de todas as idades e ninguém em sã consciência o trocaria por duas barbies de 25.

FILOSOFIA DE ACADEMIA

Os aparelhos de musculação, mais do que modelar o corpo, treinam sua postura perante o mundo. Manter o rosto reto enquanto o queixo toca no chão ao fazer uma série de flexões de braço é a melhor maneira de manter o carão. Conseguir correr na esteira e assistir a novela com closed caption requer muita coordenação motora. Trabalhar os glúteos em uma academia basicamente hétero exige muita atitude. E manter a atenção no seu próprio quadríceps enquanto um deus grego tatuado geme do seu lado no supino... ai, haja concentração.

Além de templo da boa saúde, as academias são um importante centro de convívio social nas grandes cidades. E uma interessante fonte de pesquisa antropológica da nossa sociedade. Gays, logicamente, são a parte mais animada dessa fauna. Talvez você reconheça (ou se reconheça) entre alguns desses exemplares facilmente encontrados nas academias.

Andorinha só

Só pagar a mensalidade já alivia a culpa pela vida sedentária que leva. Vai à academia uma vez a cada quinze dias, faz uma esteira rápida e vai embora. O resultado de tanto "empenho" se vê na barriga e nos pneus que nem o moletom, dois números maior, consegue disfarçar.

Barbie Clubber

Adidas e camisetas de Ganesh emoldurados por tênis flúor: ele vai preparado para a pista. Se não bastasse o iPod (com som tão alto que toda a academia escuta), ele ainda canta alto e dança na frente do espelho. Sexta e sábado são seus dias favoritos para poder estufar na regatinha o bíceps e peito que tanto sucesso fazem na noite dos Jardins.

Mr. Músculos

Será que ele faz outra coisa na vida? Cada semana que passa está maior, parece que não vai parar de crescer nunca. Quanto maior fica, menor a camiseta e mais apertado o short. Não raro, geme bem alto ao levantar pesos enormes para que todos fiquem cientes de que Hércules finalmente reencarnou.

Tarado

Chega. Dá aquela enrolada no salão e vai direto para o vestiário. Fica na ducha até ficar todo enrugado, à espera de alguma ação. Na sauna é um perigo: um boa-tarde já é suficiente para ele atacar.

Salve Simpatia

Ele é amigo de todos, conhece em detalhes a vida de cada um. A academia é seu segundo lar – se não for o primeiro. Passa horas batendo papo, sua série parece não terminar nunca. Tem sempre uma fag hag amiga para fazer companhia. Iludida, ela acha que tem alguma chance...

Gostosão profissional

Como seus horários de trabalho são mais noturnos, costuma freqüentar os aparelhos no período vespertino. Ele não desgruda do celular que usa profissionalmente – muitas vezes, o número sai publicado nas seções de acompanhantes dos classilines da vida.

Pouca Prática

Sempre com a ficha na mão, acompanha com olhar perdido a movimentação nos aparelhos. Como ainda não decidiu investir na indumentária adequada à prática da musculação, usa aquele short velho e a camiseta de dormir.

FAZENDO O CICLO

Na primeira semana uma ampola, na segunda duas, na terceira três, na quarta mais três, na quinta duas e na sexta uma última ampola. Assim, em seis semanas um homem comum se transforma em uma barbie.

Fico impressionado cada vez que vejo alguém que dobra de tamanho através de um processo que leva seguramente bem menos que um semestre.

Imagino a quantidade de mudanças na vida desses cidadãos. De tipos normais, bonitinhos, com corpos ok, se transformaram em figuras que chamam atenção pela compleição e postura, digamos, desinibida (a não ser nessas festas ou na Farme de Amoedo, onde são apenas mais um).

O ideal de beleza é teoricamente o dos deuses gregos, mas, na prática, os reais modelos são astros do cinema pornô gay americano.

Além do uso da bomba, nome bastante apropriado pelo qual os hormônios são geralmente chamados, há uma mudança no estilo de vida, que passa a incluir um novo horário abrigando horas diárias puxando ferro na academia. Muda o social, mudam as companhias, muda o guarda-roupa e muda a vida sexual – que geralmente passa a ficar bem mais animada. E sem nenhum julgamento moral, geralmente muda também a quantidade e tipo de drogas.

É como se tivessem passado por uma reencarnação em vida.

Calculo que esse câmbio físico venha cobrar seu preço mais tarde. Quem opta por fazer o ciclo está pensando em resultado mais imediato, aplicar e ver. Como estarão esses organismos daqui a quatro ou cinco anos? Não vou fazer meramente como a raposa fez com as uvas e menosprezar o fascínio exercido por músculos torneados. Esses tipos são o sonho de consumo da grande maioria, e mesmo que muitos digam que não sentem atração por marombados, são as barbies e megabarbies que estão no controle da chamada comunidade gay. Veja os números da indústria do sexo, e quais são as figuras que a movimentam. Só que quem já teve a oportunidade de encarar um tipo desses entre quatro paredes sabe que músculos têm quase nada a ver com performance sexual.

BELEZA NÃO PÕE MESA... MAS NINGUÉM COME NO CHÃO

Julho de 2002

Você chegou a dar uma olhada nas fotos de todos os jogadores das 32 seleções da Copa? Não havia nenhum time menos favorecido esteticamente do que o brasileiro. Era comentário geral (pelo menos entre as meninas e rapazes que gostam) que, se dependêssemos do quesito beleza, não passaríamos das oitavas.

No início do Mundial, dava pena ver nossos gabiruzinhos perto das tatuagens certas dos ingleses, dos corpos alemães sarados, dos cabelos bem cortados dos coreanos. Até os paraguaios tinham lá seus belos tipões guaranis.

No final das contas foi esse escrete, que saiu desacreditado em todos os sentidos, que nos trouxe o penta. O mais interessante foi ver a mudança de disposição com relação a nossos jogadores à medida que mostravam seu talento. Depois do jogo com a Inglaterra já havia quem achasse Marcos gostoso, e quando passamos pela Turquia comecei a ouvir que Cafu tinha lá seu charme. Depois da final, até o cabelo horroroso de Ronaldo virou moda, e havia dúzias de drag queens na Parada Gay do Rio usando o tal topetinho.

A vitória de Rivaldo sobre Beckham provou que beleza não põe mesa. Da mesma forma que corpaços construídos na bomba não garantem conquistas além do tempo regulamentar da pegação. O que vale é saber conduzir com categoria e marcar.

É claro que uma boa aparência ajuda, e muito. Em um bar, na rua ou em uma palestra sobre física quântica, o que vai chamar a atenção em primeiro lugar é o rosto bonito, o corpo bacana. Quem fica preso só ao visual acaba não se abrindo a surpresas agradáveis e tesouros escondidos. Além do mais, há pouca coisa que shopping, academia, esteticista e cabeleireiro não possam resolver. É tudo questão de boa vontade e investimento.

Dia desses vi, aterrorizado, um amigo deletar um pretê só porque estava usando um sapato que ele considerava errado. Não é muita exigência querer que uma pessoa seja perfeita da cabeça aos pés? Será que existe alguém assim? E se o cara fosse boa gente, inteligente, bom de cama, não seria mais fácil aceitar o pisante equivocado?

Não deixo de acreditar que beleza seja fundamental na hora da escolha de um parceiro. Mas, antes de criticar os outros, olhe no espelho o que tem a oferecer e abra o coração para outras beldades fora do seu padrão habitual.

APARA, RASPA OU DEPILA?

Por ser um assunto tabu, poucos homens têm a manha de buscar soluções para um questionamento de fundamental importância estética: aparar, raspar ou depilar? Muitos vaidosos enrustidos acabam apelando para a gilete na solidão de seus banheiros, mas o resultado só serve para transformar o corpo em uma lixa desconfortável, e os pêlos voltam a crescer ainda mais fortes.

A tradicional depilação com cera quebra um galho, mas é dolorosa e deve ser repetida com freqüência.

Por sua vez, a televisão nos bombardeia com comerciais de aparelhos que prometem acabar para sempre com os vilões que povoam peitos, barrigas e costas.

Esteticistas garantem que a maioria apenas serve como paliativo, e sugerem técnicas que parecem mistos de ficção científica e tortura chinesa.

A eletrocoagulação, por exemplo, consiste em um conjunto de agulhas que solta descarga elétrica em cada pêlo – que depois é removido com uma pinça.

A operação é precedida por uma aplicação anestésica e tem os efeitos mais radicais, mas não é recomendada em casos de exuberância capilar.

Outra opção são as técnicas que utilizam uma combinação de gel, ultrasom e placas de silicone e, ainda que mais caras, exigem no mínimo doze aplicações para transformar pêlos em penugens.

A indústria pornô levou a regiões mais íntimas essa nova estética da masculinidade por razões mais imediatas. Testículos e os pêlos juntos à base do pênis devem ser raspados para dar um aspecto maior e mais clean ao órgão masculino.

Uma solução intermediária a ser considerada é apenas manter aparada sua selva amazônica, bastando para isso investir em um barbeador elétrico, com ajuste extensão do pêlo.

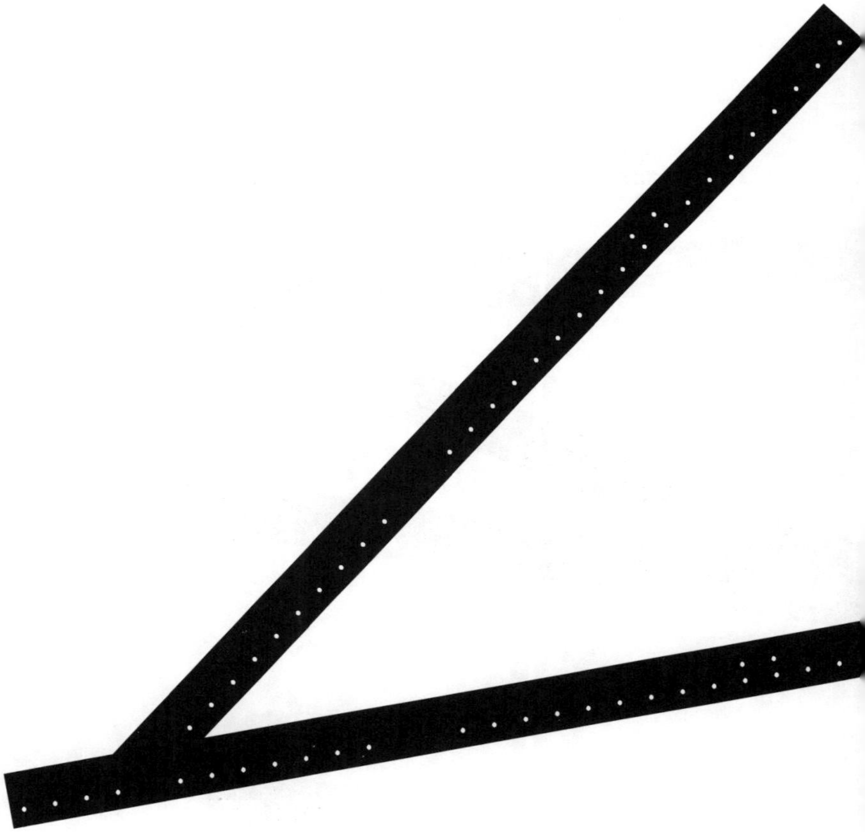

7. ESPÍRITOS DE PORCO

DIA DAS MÃES

A onda conservadora republicana anda afetando de maneira estranha o poderoso movimento gay americano. A administração Bush, em princípio contrária à ampliação dos direitos civis de gays e lésbicas, já colocou alguns homossexuais assumidos em postos-chave na Casa Branca. Um tipo diferente de gay, com um discurso bastante retrógrado e que, de certa forma, pode ser mais danoso que os antigos inimigos da causa.

Esses gays republicanos são minoria absoluta na comunidade homossexual americana, sem maior representatividade, mas infelizmente são eles que dão as cartas agora.

Batem em teclas desafinadas com o avanço da sociedade, reproduzindo valores ultrapassados. Lutam por temas absolutamente dispensáveis, como a aceitação de gays nas Forças Armadas e a defesa do casamento tradicional, que fazem de maneira acirrada.

Nada contra a família tradicional, que é e será por muito tempo a base da sociedade. Mas será que as chamadas "novas famílias" não deveriam trazer novos conceitos de união baseados no amor e na amizade, independentemente de sexo e laços de sangue?

Essa maluquice já começa a ser sentida em áreas nunca antes imaginadas. Uma escola em Nova York decidiu cancelar os festejos do Dia das Mães com o objetivo de não ferir a sensibilidade de um dos alunos, filho de um casal homossexual. A diretora da Rodeph Sholom Day School tomou a decisão motivada pelo apelo do casal de homens que adotou o menino. Eles defendem a idéia de que a criança poderia se sentir rejeitada. E os órfãos, como ficaram durante esse tempo todo? Celebrar o Dia dos Pais em dobro não seria uma solução mais simpática?

São tipos como esses que provam que careta e gay não são necessariamente conceitos antônimos.

Mães devem ser celebradas, é certo. Mas quanto a elas também é preciso relativizar um pouco. Elas podem ser um grande adianto ou um verdadeiro atraso na vida dos filhos. Tudo vai depender do destino: nascer de alguém que deseja de verdade a felicidade dos rebentos ou ser parido por uma coitada egoísta. Principalmente para filhos gays e lésbicas, contar com uma força dentro de casa pode fazer toda a diferença. Já basta o resto do mundo para complicar as coisas.

Se sua mãe é daquelas que dão força e exercem o papel de amiga, tenha consciência da sorte grande que tem, releve as pentelhações inerentes à condição materna e capriche na simpatia nesse domingão.

Algumas delas fazem um esforço imenso para estabelecer contato, e são os próprios filhos que boicotam a aproximação, com medo de não serem compreendidos. Quando uma mãe pergunta sobre a orientação sexual do filho, geralmente está abrindo uma porta, e quem não aproveita essa oportunidade pode estar perdendo uma aliada disposta a compreendê-lo.

Mas às vezes não dá para forçar a barra, e é preciso respeitar os limites de cada um. Se sua mãe é uma jararaca, ou é daquelas que vivem na ignorância forçada, respire fundo, seja gentil e dê uma de desentendido quando ela vier com aquele papo sobre namorada.

SEXISMO GENÉTICO

Quando as primeiras notícias sobre clonagem surgiram, uma nota num canto do jornal causou certo mal-estar.

Nela um biólogo enaltecia, dentre as vantagens do processo, a possibilidade de as mulheres garantirem sozinhas a sobrevivência da humanidade, sem a necessidade da participação de homens. Isso mesmo, uma raça só de fêmeas procriando sozinhas a partir de seus próprios óvulos.

Nem a mais radical das lésbicas feministas poderia ter arquitetado pesadelo mais macabro. Depois foi a vez de um cientista inglês anunciar que, no futuro próximo, dois homens poderão gerar filhos a partir de seus espermas, após a fecundação em um óvulo feminino cujo material genético seria eliminado.

Todo amor deve ter o direito de produzir seus próprios rebentos, sejam eles homem-mulher, dois homens ou duas mulheres. Mas vale a pena investir na criação de seres que não possuem a rica herança genética dos dois sexos?

Seriam eles pessoas completas biologicamente? Antes de pensar nisso, seria saudável seguir o exemplo de países como Holanda, Bélgica e Espanha, que já aprovaram a adoção de crianças por casais homossexuais – que, aliás, costumam dar pais dedicados.

Diz a sabedoria popular que homem com homem dá lobisomem, e mulher com mulher daria jacaré. E se o resultado desse experimento for mulheres com TPMs crônicas e homens com apetite sexual incontrolável?

Mesmo não sendo um adepto fervoroso, ainda acredito no bom e velho papai-mamãe como melhor método para gerar crianças.

O QUE HÁ POR TRÁS DA INTOLERÂNCIA

Estava puxando sossegadamente meus ferros na academia quando fui forçado a ouvir os impropérios de um troglodita gordo e feio, vindos de um equipamento ao lado. Nada contra os obesos ou não-bonitos, mas a informação é relevante nesse contexto. O tipo dizia que foi forçado a sair da academia em que malhava porque ela havia sido "tomada por veados", e não podia nem sequer olhar para os lados sem ser cantado.

Imagine o grau de fantasia do cidadão, que acredita que ser gay torna alguém um tarado ninfomaníaco incapaz de conter seus impulsos por qualquer espécime com um pênis. Parece-me que esse desejo está muito mais na cabeça dele do que na de seus companheiros de academia.

Não acredito que todo mundo seja homo ou bissexual, mas esses tipos deixam a impressão de que o descontrole é causado por um tesão mal resolvido. Fui obrigado também a questionar minha atitude diante desse tipo de manifestação. Levantar a voz e impor uma correção política ou me fingir de surdo?

Para minha surpresa, nem precisei me manifestar. Dois jovens entoaram um deixa-disso, dizendo em tom debochado que ele estava exagerando na irritação e revertendo para ele a atitude ignorante. É preciso não deixar o preconceito passar batido, mas presença de espírito e a confrontação gentil acabam sendo os mais eficazes antídotos contra a intolerância.

PEQUENAS REVOLTAS

Sua mãe já lhe dizia para não aceitar balas de estranhos. Acredite, o conselho está mais válido do que nunca. O golpe do "boa noite, Cinderela", que se popularizou na noite gay há alguns anos e consiste em colocar sonífero na bebida da vítima para depois rapiná-la, acaba de ganhar uma versão mais inusitada. O rapaz se apresenta todo meigo, e papo vai, papo vem, oferece um chiclete tipo *bubbaloo* com recheio batizado.

A vítima fica abestalhada, em estado de pré-coma, e é induzida a fornecer informações como endereço e código do cartão. Os assaltantes costumam levar carro, cartões de crédito, dinheiro e pequenos eletrodomésticos. É cruel as coisas chegarem a esse ponto, mas não dá mesmo para marcar bobeira com desconhecidos.

***

O cantor Daniel foi um que andou passando dos limites. Por volta de 2000, o sertanejo levantou a bandeira da homofobia, repetindo em várias entrevistas que "não daria essa tristeza para meus pais" e "encheria de porrada se visse dois homens se beijando". Ele não entendia que havia uma suspeita sobre sua orientação sexual e que a insistência dos entrevistadores nessas perguntas se devia justamente ao fato de ele ser tão mal resolvido. Felizmente, depois de uma certa pressão da imprensa e do movimento gay, ele resolveu se desculpar. Só reforça que não se deve deixar barato esse tipo de ofensa.

***

Alguns militantes ficariam ofendidos com um comercial da Volkswagen, veiculado no final de 2002, que mostrava uma garota crente que estava recebendo uma cantada de um gostosão quando, na verdade, se tratava de um gay interessado apenas na cor do seu batom. Os queixosos disseram que a propaganda reforçava estereótipos e preconceitos. Penso o contrário.

A campanha incorporava com humor um dos novos mitos urbanos presentes no dia-a-dia das mulheres solteiras: os homens mais interessantes seriam gays e, por essa razão, se constituem em constante motivo de decepções românticas para elas.

A Volkswagen acabou tirando a campanha do ar e ainda deu um bom dinheiro para os que ameaçavam mover ação na justiça. Um cala-boca com a condição de não aparecer.

É importante não se perder na histeria do politicamente correto, reconhecer situações engraçadas que realmente acontecem envolvendo a nova visibilidade gay e lutar por questões relacionadas aos ainda incipientes direitos civis homossexuais.

Muito mais ofensivo é a forma humilhante como gays e lésbicas são tratados em pegadinhas e programas humorísticos, e os insistentes comentários homofóbicos de conhecidas múmias do jornalismo.

***

Em entrevista à revista Época sobre o caso *The New York Times*, em que foi acusado pelo correspondente do jornal americano de ser alcoólatra, o presidente Lula tentou se defender do mal-estar criado por sua reação contra a matéria tida como caluniosa: "Daqui a pouco alguém vai dizer que sou gay e vocês não vão me deixar fazer nada". Parece que bebe...

MACACO, OLHA TEU RABO

Dezembro de 1998

As últimas semanas foram marcadas por intensa movimentação devido às infelizes declarações de Marcelo Rossi ao Fantástico, classificando a homossexualidade como doença. O padre cantor deve ter se arrependido de ter avançado sobre tão polêmica seara: já está sendo processado por ativistas e recebeu as devidas críticas sobre suas opiniões, que nem sequer correspondem à posição oficial da Igreja.

O lado mais difícil desse tipo de manifestação do preconceito é reforçar os problemas de auto-estima de muitos homossexuais, levando-os a ações extremadas que ultrapassam o limite do ridículo.

Estimulados por posições como as do padre, um grupo de evangélicos cariocas "ex-gays" passa as noites distribuindo em bares e casas noturnas o panfleto com o título "É GLS Glória, Louvor e Salvação", em que um dos fiéis expõe como a conversão o livrou do "pecado", fazendo-o passar de travesti a chefe de família.

É inegável a influência de figuras públicas sobre o comportamento das massas, e a fama parece exercer um efeito amnésico sobre a opção sexual de muitas personalidades. É compreensível que o assédio dos fãs, pressão de agentes gananciosos e o retorno financeiro do sucesso façam com que muitos famosos decidam não expor sua opção sexual.

É difícil imaginar uma adolescente apaixonada por um galã da novela das oito ou ídolo sertanejo que aparece beijando o namorado em revistas de fofocas. Só que existe uma grande diferença entre não levantar bandeiras e contratar falsas namoradas ou dar declarações cínicas contrárias à sexualidade gay.

Por essas e por outras que o xerife do movimento gay brasileiro Luiz Mott anda sugerindo que se comece no Brasil a prática do outing (expor publicamente provas da homossexualidade de artistas e políticos). Se essa onda pegar, muita, muita gente na MPB, na televisão e no teatro nacionais vai perder o sono.

TERRORISMO ENRUSTIDO

Fevereiro de 2000

Os Carecas do ABC, responsáveis pelo assassinato do adestrador de animais Edson Néris na praça da República, precisam ser punidos exemplarmente, sob pena da desagregação da sociedade.

Os carecas que mataram simplesmente por achar que Edson era homossexual nada mais são do que um bando de bichinhas medrosas que, para reprimir o desejo que nutrem pelos companheiros do grupo, agridem aqueles que os ameaçam.

Pobres que batem em pobres como forma de aliviar sua miséria pessoal, mestiços que atacam negros em nome de uma falsa supremacia racial. Esse nazismo anacrônico e fora de lugar já matou outros, não só gays, mas também nordestinos e negros.

Para combatê-los é preciso forte mobilização cobrando uma ação efetiva dos governos estaduais e municipais, sobretudo da polícia que, diga-se de passagem, até agora está agindo corretamente ao prender com rapidez os responsáveis e mantê-los presos.

É fundamental que a polícia assuma seu papel na defesa do cidadão e nesse momento dê cobertura especial às áreas mais freqüentadas por homossexuais (Centro e Jardins) para evitar novos ataques, diminuir a sensação de insegurança que se abateu sobre a comunidade e afastar um possível retrocesso das conquistas e visibilidade adquiridas a duras penas.

CRIMES DE ÓDIO OU LATROCÍNIO?

Mais um assassinato de um homossexual por um michê mobilizou a militância contra o que considera um crime de motivação homofóbica. Mas quais são os limites do que se pode considerar homofobia?

Existe uma diferença fundamental entre alguém que se arrisca levando um total desconhecido para casa e o episódio da morte de Edson Néris, o treinador de animais que apanhou de uma gangue até morrer simplesmente porque passeava na praça da República, em São Paulo, com seu namorado. Devemos admitir essa diferença, sob pena de nossos clamores por justiça não serem levados a sério.

Difícil fazer essa distinção moral, mas não se pode negar que ela exista, assim como existe um risco inerente quando se leva para casa um desconhecido que se pegou na rua.

Os vampiros, diz a lenda, só sugam o sangue dos que os convidam a entrar. Há os que buscam uma justificava, afirmando que é o preconceito que obriga esses homens a exercerem sua sexualidade na marginalidade.

É a crença na impunidade, gerada pela falta de empenho em encontrar esses criminosos, que facilita esses assassinatos. Os agressores devem ser procurados e condenados para que se evite a continuidade dessa prática hedionda. Não fazê-lo é permitir que tais crimes continuem acontecendo.

No entanto, contabilizar assaltos nas mesmas estatísticas de crimes de ódio, motivados por preconceito contra orientação sexual, apenas serve para gerar descrença nessas estatísticas.

EX-GAYS

Janeiro de 2001

Aconteceu em Bauru encontro patrocinado pelo tal Grupo Gênesis, filiado à rede internacional de conversão de gays Exodus International.

O festival de patacoadas se choca com a resolução 1/99, do Conselho Federal de Psicologia, que proíbe os psicólogos de, nos meios de comunicação ou no seu trabalho profissional, considerarem a homossexualidade uma doença.

"A pessoa, originalmente, é heterossexual. Uma vez resolvido o conflito provocado pelo desejo homoerótico, ela volta a ser heterossexual", declarou Celenita Coelho, membro do grupo, em frase da mais típica ignorância preconceituosa disfarçada de conhecimento científico.

Além de "tratar" homossexuais, o Gênesis também se dedica a heterossexuais casados que "tenham o desejo homoerótico e permaneçam em conflito em função disso".

A febre de grupos de ex-gays nos Estados Unidos vem sendo abalada pela constatação de que, no final das contas, funcionam como um ótimo ponto de pegação para gays e lésbicas enrustidos. No noticiário não faltam casos desmoralizantes de líderes evangélicos que lideram a conversão de homossexuais e que, na verdade, são praticantes do sexo entre iguais.

Para quem tem fetiche em religiosos, fica a dica do encontro de "ex-gays". Babado forte!

BEIJAÇO NO SHOPPING E O LIMITE DA TOLERÂNCIA

Agosto de 2003

João Paulo, 25, e Rodrigo, 21, namoram há três anos e moram com os pais em extremos opostos da cidade. Enquanto o plano de morar junto não se concretiza, costumam se encontrar para jantar ou ir ao cinema. Foi o que fizeram no domingo passado, quando combinaram de se encontrar na entrada do shopping Frei Caneca a tempo de pegar a última sessão do Arteplex. O shopping, conhecido como "Gay Caneca", é bastante freqüentado por gays e lésbicas, que a qualquer momento do dia e da noite compõem boa parte do público dos cinemas, praça de alimentação e lojas.

Ao se cumprimentarem, trocaram um beijinho, como sempre fazem. Naquele instante começaria um pesadelo que só terminaria no 4º Distrito Policial.

Segundo eles, no momento do beijo um segurança decidiu separá-los, justificando que manifestações de afeto eram proibidas entre pessoas do mesmo sexo naquele local. Perguntaram então se o mesmo se aplicava a casais heterossexuais. O segurança respondeu que "aí seria diferente".

Naquele instante, outros seguranças cercaram os rapazes, e o responsável pela administração confirmou a eles que aquela era a política estabelecida pela direção.

Segundo a assessoria de imprensa do shopping, não houve discriminação, tampouco abuso por parte dos seguranças, já que o procedimento adotado seria o mesmo para o caso de beijos "muito intensos" entre casais heterossexuais nas dependências do shopping.

João e Rodrigo deram entrada em ação indenizatória por danos morais e pretendem usar a Lei Estadual 667/2000, que prevê multa a estabelecimentos comerciais em caso de comprovada discriminação.

Para protestar contra o preconceito, grupos gays convocaram um "beijaço" na praça de alimentação do shopping. O beijaço consiste em vários casais de gays e lésbicas se beijando ao mesmo tempo em locais que registrem casos de discriminação devido à orientação sexual dos seus freqüentadores.

De nada vale um milhão de pessoas na Parada do Orgulho Gay se vergonhas como essa continuarem a acontecer impunemente.

***

O episódio do Shopping Frei Caneca ressuscitou a polêmica sobre manifestações públicas de afeto entre homens.*

Invariavelmente a primeira pergunta feita era sobre a duração do tal beijo. Parece que o selinho já pode ser aceito, mas um beijo de duração "normal" ainda não. Muita gente, a maioria absoluta, ainda se choca com dois homens demonstrando seu carinho. Duas meninas se beijando já é algo considerado menos ofensivo. Cenas de um casal hétero transando na cama passam sem problema na sessão da tarde. Um beijo entre homens, só depois das 22h. Se for de língua, então, só na madrugada.

Dois homens juntos, mesmo que não estejam nem se beijando, é percebido para alguns como algo que beira a pornografia. Isso fica por conta da fantasia de quem está vendo. São os mesmos que costumam dizer que essas cenas de carinho explícitas são constrangedoras para crianças, como se fosse muito diferente de ver o mesmo acontecendo entre um homem e uma mulher.

É comum ver casais de namorados heterossexuais manifestando livremente seu carinho um pelo outro em qualquer lugar. Alguns ficam na troca de beijinhos, mexendo no nariz ou na bochecha. Outros vão mais além, com beijos de língua bem demorados e até mesmo afagos nos seios e apertos abaixo da cintura. Bonito poder expressar sentimentos assim sem se segurar.

Será que dois homens teriam a coragem de fazê-lo, mesmo estando em lugares tolerantes como os Jardins ou Ipanema? E se fizerem, qual será a reação das pessoas?

A maior parte dos próprios homossexuais se sente constrangida quando vê cenas de romance fora do gueto ou em espaços delimitados socialmente. No McDonald's, nem pensar....

---

* Em março de 2005, o Shopping Frei Caneca foi condenado a pagar indenização por danos morais causados ao casal.

Já disseram que os meninos quiseram armar barraco pelo fato de terem movido processo contra o shopping. Se é esse o objetivo, estão certos. Bastariam cinqüenta corajosos barraqueiros perturbando a ordem estabelecida durante um ano, processando estabelecimentos que discriminam e forçando a visibilidade de namoros homossexuais, para mudar a situação.

Em alguns anos seria normal ver casais gays na rua sem chocar criancinhas. Elas já cresceriam acostumadas com a cena.

O problema não está no que as crianças vão pensar ao verem dois homens se beijando, mas no preconceito arraigado dos crescidos que não as deixam ver.

VEXAME GLOBAL

Novembro de 2005

Vários amigos se reuniram para ver a imagem tão aguardada. No *Mix Brasil*, demos até plantão. Afinal, o último capítulo de América prometia ser uma espécie de final de Copa do Mundo para a comunidade gay.

Na segunda-feira, Bruno Gagliasso e Erom Cordeiro gravaram o tal beijo. No começo do capítulo, um belo discurso de aceitação da mãe de seu filho gay. "Gay, gay, gay", repetiu Dona Neuta. Mas o que parecia impossível aconteceu. Mesmo com depoimentos da autora Gloria Perez hoje pela manhã, em vários jornais, afirmando que o beijo entre Junior e Zeca aconteceria, a Globo cortou a cena no momento em que os lábios dos dois se uniriam.

No fim das contas, a final da Copa ficou parecendo com o Brasil x França de 1998: 3x0 para eles. Uma derrota fragorosa.

Junior e Zeca se aproximam, olhos nos olhos, chegam bem perto e.... corte abrupto, os dois apareceram dançando. Até o último momento ficamos esperando que a cena de amor entre os dois fosse retomada. E nada. Negro beijou branca, amante beijou homem casado, cinqüentão beijou a sobrinha. Todas as minorias emocionais foram agraciadas com final feliz completo. Menos as bichas.

Patético, para dizer o mínimo. Inexplicável, inaceitável.

Qual o objetivo? Fica difícil entender. A notícia do beijo entre os galãs da novela correu os noticiários de todo o mundo, e mesmo assim a Globo parece ter cedido a algum tipo de pressão e eliminou o mais aguardado ósculo da história da tevê brasileira.

Muitas perguntas ficam no ar....

O que teria motivado o corte? A decisão partiu da cúpula da emissora? Na manhã seguinte, Gloria Perez me ligou inconformada, dizendo que não foi consultada sobre a decisão da Globo de cortar a cena do beijo, e que foi feita contra sua vontade e totalmente à sua revelia.

Pelo menos ela estava tão revoltada quanto todos nós.

RICHARLYSON CAIU NA VARA ERRADA

Agosto de 2007

O juiz do caso Richarlyson, atacante do São Paulo que processou um cartola por tê-lo chamado publicamente de gay, sintetiza em sua decisão o mais torpe dos sentimentos: o desprezo por outro ser humano.

O limite do conservadorismo é a falta de respeito, e o juiz abusou no linguajar, pretensamente cheio de jargões do direito, para ofender aqueles que são gays e ousam jogar futebol. Como os nazistas nos piores tempos da ditadura hitlerista, ele chega a sugerir que homossexuais criem sua própria federação. O próximo passo é sugerir que passemos a usar triângulos rosas nas roupas para sermos identificados nas ruas.

É justo que essa pessoa continue julgando? Imagine um gay saber que vai ser julgado pelo tal juiz? É de um azar extremo cair na Vara de Justiça de alguém que veja o mundo dessa forma. Sabe de antemão que vai perder.

Leia algumas das pérolas de puro ódio enrustido que fazem parte da decisão do juiz Manoel Maximiano Junqueira Filho:

"Se (Richarlyson) fosse homossexual, melhor seria admiti-lo, ou omitir. Nesta hipótese, porém, seria melhor que abandonasse os gramados."

"Quem se recorda da Copa de 1970? Quem viu o escrete de ouro jogando (Pelé, Tostão...) jamais conceberia um ídolo homossexual."

"O que não se mostra razoável é a aceitação de homossexuais no futebol brasileiro, porque prejudicaria a uniformidade de pensamento da equipe, o entrosamento, o equilíbrio, o ideal..."*

Se Richarlyson é gay, perdeu uma boa oportunidade para assumir com classe. Se não, é estranho ter que exercer o direito de se defender. Ainda que tenha dado declarações de que não tem nada contra gays.

Senhor juiz, eu gosto de futebol, sou gay e não vai ser um homofóbico que vai me fazer parar de ir ao estádio ou acompanhar o campeonato.

PRECONCEITO NO GUETO

Durante uma palestra em uma escola da periferia, ouvi o depoimento emocionado de um estudante que dizia ter mudado sua atitude com relação a homossexuais depois de entender que também padecia de discriminação em estabelecimentos comerciais por ser negro, pobre e roqueiro. Declarou ter deixado de "zoar com as bichas" e passado a se solidarizar com a causa.

Mesmo sendo vítimas de preconceito de boa parte da sociedade, muitos gays insistem em reproduzir essa cadeia perniciosa ao discriminar elos considerados mais fracos, como afeminados e, sobretudo, travestis. Com a desculpa de "manter o nível", muitos donos de boates ainda proíbem a entrada de transexuais. O consumo indiscriminado de drogas e sexo não seguro nos dark-rooms não causam constrangimento, mas uma traveca dançando na pista parece pôr em risco a reputação de uma casa noturna. É o roto falando do esfarrapado.

A prática é tão recorrente que as próprias trans aceitam conformadas essa vergonha. Se algumas exageram na fechação, devem ser encaradas como indivíduos e, se for o caso, convidadas a se retirar. Por uma questão de coerência, não deveria o gueto ser o primeiro a praticar a tolerância?

---

* Dois meses depois, os advogados de Richarlyson obtiveram o afastamento do juiz Manoel Maximiano Junqueira Filho do processo movido pelo atleta contra o diretor do Palmeiras.

Recebi crítica de um leitor que diz que corro risco de perder "território conquistado" pelo fato de não freqüentar a Farme no Rio, nem a The Week em São Paulo. O fato de estar "fora do gueto" (usando palavras dele) estaria me afastando do público gay.

Será que estaria parecendo menos gay, e com isso me afastando do meu foco profissional? Será que atenderia melhor às expectativas dos leitores se abordasse temas mais específicos do dito universo gay? Deveria encarnar o Chacrinha e jogar bacalhau para as terezinhas? E será ainda que o público gay realmente se limita a esse circuito? Sem dúvida ele é poderoso, com grande visibilidade, mas pequeno numericamente se comparado à imensa diversidade de tipos que compõem essa enorme audiência.

Fato é que nunca fui muito de boates ou circuit parties. Vez ou outra, vou lá dar uma checada no movimento. Saio bastante, e os lugares que freqüento são cheios, lotados de gays. Boa parte completamente alheia ao tal gueto, mas nem por isso menos assumida.

Acho o circuitão tradicional gay tão interessante quanto um jantar árabe, um concerto ou um boteco bem bagaceiro. Divertido, mas se repetir todo dia, enjoa.

Por isso, caro leitor, entendo e agradeço sua preocupação. Fique tranqüilo que em tudo que faço sempre haverá espaço para a noite gay, a cultura gay e a putaria gay. Só que, além disso, vamos crescendo também em outras direções.

E com isso conseguindo falar com cada vez mais pessoas. Gays e não-gays interessados nesse conjunto, cada vez maior, de temas e reflexões.

***

Fui mais uma vez ao *Terça Insana*, o mais hilário dos espetáculos teatrais dos últimos anos. Em uma série de esquetes, comediantes fazem um humor escrachado e inteligente com o qual esculhambam a hipocrisia da sociedade. No meio de um acesso de riso, me dei conta de que a maioria dos personagens era composta por bichas loucas. Parei de rir por um segundo, acometido de um surto politicamente correto, e me questionei se aquilo seria mesmo um humor construtivo. Já me peguei várias vezes também criticando os programas humorísticos da tevê que abusam do mau gosto ao retratar homossexuais. Qual a diferença entre as piadas das quais estava rindo e a sucessão de quadros com personagens gays do *Zorra Total*? Valeria espaço para uma autocrítica?

Em primeiro lugar, lembrei que estava em um ambiente bastante GLS e que a maior parte dos comediantes também era gay. Isso de cara já mudaria o quadro, mas lembrei também que Jorge Lafond, que encarnava a ultrapreconceituosa personagem Vera Verão, também era homossexual.

Qual o limite então entre o bom e o mau gosto em termos de piadas sobre homossexuais?

A diferença fundamental está no entorno. O Pitbicha, personagem criado por Tom Cavalcante, é um viciado em sexo que não consegue controlar seu desejo, e ainda é extremamente misógino. Dessa forma é reforçada a imagem negativa, de elementos que estariam melhor afastados do convívio social. Por outro lado, os quadros do *Terça Insana* apenas exploram os trejeitos estereotipados, sem um julgamento moral subliminar.

Humoristas trabalham basicamente com o estereótipo. E os homossexuais – mais especificamente as bichas que na Bahia são chamadas de "molinhas" – não são os únicos colocados em gavetas comportamentais. Loiras são burras, negros bem-dotados, japoneses mal dotados, judeus econômicos, cariocas preguiçosos e por aí vai. Isso faz parte do próprio humor de massa.

Uma coisa há de se concordar: mais ainda que portugueses, as bichas são um prato cheio para humoristas.

Ao fazer essa reflexão, voltei a rir despreocupado, a tempo de não perder a diversão fazendo análises de comportamento. E haja terapia!

8. LEIS DA QUÍMICA E DO FÍSICO

Número 1 sempre sai com número 2

Você sempre tem um favorito da noite, que promete ser a paixão da sua vida. Aquele que agrega todas as qualidades do mundo: beleza, charme, elegância e inteligência (mesmo que não tenha dito uma só palavra, o que vale é a fantasia). Só de vê-lo, o coração dispara. Mas como você não nasceu ontem, mantém discretamente olhares para uma segunda opção, para não correr o risco de terminar a noite só numa cama gelada.

Mas é tiro e queda: número 1 acaba se interessando por número 2 e rolando nas suas barbas. Talvez você mesmo seja responsável por um fluxo energético entre as duas desejáveis criaturas. Quando isso acontecer, não tente atirar no número 3 e no número 4, que a essa altura também já devem estar juntos.

Nessas situações, o melhor a fazer é apelar diretamente para número 5, que provavelmente ainda está abandonado, esperando desde aquela olhadinha rápida que trocaram no começo da noite. Ou então recolha o time de campo enquanto ainda lhe resta alguma dignidade, e da próxima vez concentre os esforços em apenas um titular.

O mais interessante sempre está saindo quando você está chegando

Não importa aonde você vá, nem em que horário, a sensação é a mesma. No clube, no bar, no boteco de esquina, na sauna. Basta você chegar que uma divindade grega parece estar esperando para sair.

A vontade é desistir de tudo, dar meia-volta e segui-lo. Não se deixe impressionar facilmente. Entre, alguém ainda mais bacana há de estar lá dentro. Se não estiver, trate de gastar a consumação mínima com álcool forte para valer o investimento.

O segundo salgadinho é sempre pior que o primeiro

Vale para tudo, de laricas a tentativas de bisar encontros que foram feitos para durar uma vez só. Não só a fome diminui, mas a primeira escolha – no caso dos salgadinhos de verdade – também tende a ser mais acertada. No caso de affairs amorosos, se a segunda vez for tão boa quanto a primeira, considere a possibilidade de estar diante de material para namoro.

NEGOCIAÇÕES

Em qualquer relacionamento com um mínimo de respeito, o que vale para um tem que valer para o outro também. Existem basicamente três posturas para enfrentar a questão da fidelidade.

* Contar sempre toda a verdade.

Você pode contar a primeira traição, ouvir a segunda vez que ele saiu com alguém, contar a terceira vez, e até manter um certo ar excitante. O risco é os dois se engajarem numa competição sexual. Na 25ª vez, vai ficar evidente demais que o sexo doméstico já era.

* O que os olhos não vêem...

É como o problema é enfrentado pela grande maioria. Se for essa sua opção, seja absolutamente discreto e profissional, sem deixar pistas nem contar para ninguém.

Se ninguém fala nada, é como se não tivesse acontecido. Duro é conseguir manter em segredo total uma escapada, já que ela pressupõe a discrição absoluta também da outra parte.

* Existe ainda uma terceira via, que é tentar de verdade não urinar fora do penico. Só que, quanto mais se é fiel, mais o povo parece enlouquecer. Resistir pode não ser a tarefa mais fácil do mundo, mas confere certo charme e dignidade. E quando você se separar, vai ser o melhor partido da praça.

ONDE ENCONTRAR

Já disseram que namorado não se procura. Com toda certeza, não basta querer um pretê para que ele apareça. Pior ainda, ficar na expectativa só gera uma tensão no ar à sua volta, liberando uma espécie de antiferormônio que espanta possíveis candidatos.

O olhar pidão de quem busca companhia parece disparar um alarme e estampar uma faixa "Glenn Close" que afasta qualquer possibilidade concreta, exceto os carentes e desesperados. Mais prudente é parecer cool, distante, e atiçar a vontade de batalharem por você. Se sentir desejado, mesmo que demore um pouco, é bem melhor do que rastejar por migalhas de afeto.

É fato que a verdadeira paixão surge sempre em momentos e lugares inusitados. Não adianta ir a clubes ou bares atrás de namorado nem a encontros arranjados por amigos. O príncipe encantado sempre aparece quando menos se espera.

UMA SEMANA SEM SEXO

Não há nada de excepcional em passar uma semana sem fazer sexo. Esse é um prazo razoável para se passar a seco sem subir pelas paredes, exceto para sexólatras ou começos de namoro. Mas já considerou passar uma semana inteira sem pensar em fazer sexo?

Não proponho impensáveis 168 horas completas sem pensar em sexo, algo absolutamente inviável até para o mais iluminado dos seres. Refiro-me a sete dias sem provocar, arquitetar ou se deixar envolver em situações que possam levar ao ato carnal.

Uma "Seven Day Diet" sexual com o propósito de liberar a mente para outros temas. Com isso, pode-se ter uma idéia de como a procura por sexo, que assume muitas vezes o disfarce de paixonites, ocupa um espaço precioso na vida.

Já pensou na possibilidade de um tempinho só para experimentar o resultado dessa privação consciente? Aproveitar para arrumar gavetas, colocar o e-mail em dia... Calcule o que representa uma semana inteira sem se meter em confusões.

Se alguém ultra-irresistível aparecer, pense duas vezes se vale a pena quebrar um compromisso interno. Se valer, tudo bem, ninguém é de ferro. Comece a contar a semana do zero depois disso. Se ao final de seis meses não tiver conseguido, entregue a Deus.

Pode ser difícil passar por essa provação. Mas ser difícil faz crescer a cotação no mercado e atrai os menos fáceis, geralmente mais interessantes.

Sexo é muito bom, e uma certa promiscuidade tem seu tempo e valor. Mas ser seletivo e respeitar o próprio corpo aumenta a auto-estima e é um ótimo exercício para solteiros em busca de crescimento pessoal.

AS 100 MAIS

Lista de cem coisas que as pessoas deveriam fazer pelo menos uma vez para serem mais completas e felizes:

1. Sexo com alguém do mesmo sexo.
2. Sexo com alguém do outro sexo.
3. Pintar o cabelo.
4. Raspar o cabelo.
5. Uma tatuagem.
6. Meditar.
7. Ficar em casa sábado à noite.
8. Pagar um mico sem medo.
9. Praia na Farme.
10. Ver Madonna ao vivo.
11. Ir a uma Parada Gay.
12. Não usar óculos no after.
13. Abrir o jogo com a família.
14. Reclamar no Procon.
15. Assistir a um pornô gay.

16. Assistir a um pornô hétero.
17. Almôndega.
18. Fila no *Festival Mix Brasil.*
19. Sauna.
20. Malhar.
21. Teste de HIV.
22. Ioga.
23. Assistir a um Zé Celso.
24. Amanhecer numa rave.
25. Banho de mar na Bahia.
26. Ir a Berlim.
27. Assistir a um desfile de moda.
28. Pular uma temporada de moda.
29. Perder a consciência conscientemente.
30. Marcar um encontro pela internet.
31. Sexo a três.
32. Porre de saquê.
33. Dar roupas novas.
34. Ler Armistead Maupin.
35. Fazer uma amizade pelo Orkut.
36. Dançar axé.
37. Comprar Adidas.
38. Transar com estrangeiro.
39. Devolver carro emprestado com tanque cheio.
40. Ajudar um amigo doente.
41. Um jardim.
42. Ir a um Baile de Carnaval.
43. Tomar menos remédios.
44. Compras em um sex shop.
45. Um dia de jejum.
46. Não passar fofoca adiante.
47. Desfilar no Sambódromo do Rio.
48. Comer acarajé na Bahia.
49. Assistir a todas as temporadas de *Sex and the City.*

50. Cozinhar para amigos.
51. Dar carona.
52. Pegar carona.
53. Cortar despesas.
54. Acupuntura.
55. Fazer trilha em um 4x4.
56. Correr cinco quilômetros.
57. Evitar uma gripe.
58. Participar de uma campanha política.
59. Comprar revista gay.
60. Conversar em inglês.
61. Um vídeo.
62. Dieta.
63. Perder a noção.
64. Não espremer espinhas.
65. Armar um barraco.
66. Passear no Ibirapuera no meio da semana.
67. Doar sangue.
68. Sair sem cueca/calcinha.
69. Sair de drag queen/king.
70. Jorei.
71. Ver *Bonequinha de Luxo* na telona.
72. Escrever um poema.
73. Comprar uma roupa muito cara.
74. Ir a uma praia de nudismo.
75. Assistir à ópera.
76. Rafting.
77. Reciclar lixo.
78. Download de filme de um blockbuster.
79. Dar trote.
80. Massagear alguém.
81. Mapa astral.
82. Andar de mão dada.
83. Posar nu/nua.

84. Passear pela Galeria Ouro Fino.
85. Ter um cachorro.
86. Lamentar a morte de um gato.
87. Entender Stonewall.
88. Desligar o *Oscar* no meio.
89. Sacolão.
90. Night biking.
91. Estudar espanhol.
92. Depilação.
93. Ir ao Mardi Gras em Sydney.
94. Fondue.
95. Pintar a própria casa.
96. Capoeira.
97. Mercado de madrugada.
98. Bater perna nos Jardins.
99. Mandar flores.
100. Apaixonar-se.

ATIVO OU PASSIVO

O que se faz na cama não muda o caráter de uma pessoa. Ser ativo ou passivo (isso vale também para as garotas) não determina o grau de masculinidade/feminilidade de alguém.

Paul Monette, em seu livro *Becoming a Man*, relata a primeira vez em que foi passivo na cama e os dramas que atormentaram sua mente. Ele lembra que na época não tinha noção da importância da troca de poderes e do desafio às leis do patriarcado que representa o sexo entre dois homens. Nem precisa ir tão longe, mas por que encanar com bobagem?

Qualquer maneira de prazer consensual vale a pena, e não deve acarretar nenhuma culpa. Relaxe e goze.

RESOLUÇÕES DE ANO-NOVO

Cada virada de ano traz a possibilidade de grandes mudanças. É importante pensar em pequenas atitudes que podem melhorar sua vida e o mundo. Sugiro mais uma listinha para ser colocada em prática a partir do próximo réveillon:

* Parar de fumar. Se não der, evitar fumar pelo menos na pista de dança. Coloque-se na posição de quem não fuma e é queimado enquanto se diverte.

* Ajudar alguém a ser menos preconceituoso. Saia do armário em grande estilo para pelo menos uma pessoa que valha a pena, seja parente, amigo ou colega.

* Por falar em armário, não comprar mais roupas do que cabem no seu guarda-roupa. Ou então avaliar se já não é hora de comprar um novo guarda-roupa.

* Misturar-se. Conhecer todo tipo de gente e lugar faz opções mais consistentes.

* Quando for criticar uma pessoa por ser cafona, feia, gorda, magra, pobre, malvestida, baixa, alta, muito gay ou qualquer outro motivo fútil, parar e lembrar que você também pode ser julgado, inclusive pelas mesmas razões mencionadas.

* Valorizar o sexo. Transar é muito bom, mas é importante lembrar que o mundo não vai acabar se não conseguir alguém bacana hoje. Espere até amanhã. Ou depois. Após um mês de secura, essa sugestão perde a validade. E, sem julgamentos morais, sexo por interesse é coisa para prostitutas e michês.

* Não confundir trepês com pretês.

* Trocar pelo menos um final de semana de fervo por uma boa leitura. Um livro custa menos que entrada de boate, e é um hábito que só pode melhorar sua vida.

* Afastar-se de pessoas do mal. Sim, elas existem, e por mais que a associação com elas possa oferecer vantagens, mais cedo ou mais tarde essa proximidade vai cobrar seu preço.

* Acima de tudo, respeitar seus limites, não violar parâmetros morais, respeitar o próximo e manter o compromisso com seus sonhos.

O MUNDO (AINDA) NÃO É (TOTALMENTE) GAY

Tem coisa mais equivocada do que gente que considera a homossexualidade um desvio? Só aqueles tipos que bradam que o mundo é gay e teimam que os héteros não passam de enrustidos.

Acreditar nisso pode resolver uma questão de auto-estima para gays que não se aceitam, mas acaba criando outra psicose. Se você ainda não se deu conta da verdade estatística de que a maioria absoluta dos homens gosta mesmo de mulher e as mulheres de homens, é porque anda meio confuso.

Apesar de a orientação sexual não significar um modo de vida comum a todos, há um não-sei-quê que todo gay, lésbica, bi ou transgênero (e alguns simpatizantes) de qualquer classe social, background étnico ou formação cultural compartilham. Seja ele a experiência do preconceito, ou o fato de sermos diferentes da maioria em função das nossas práticas sexuais.

Somos uma minoria especial, não muito diferente de amantes da música clássica ou fãs de esportes radicais, e essa diferença deve ser respeitada e celebrada.

SEXO SEM CULPA

De tanto ouvir que o sexo entre pessoas do mesmo sexo é uma abominação e vai contra as leis da natureza, muitos homossexuais acabam incorporando certa dose de culpa e vergonha por sua orientação sexual – por mais assumidos e bem resolvidos que sejam.

Se em cidades como Los Angeles existe um centro de informações para gays e lésbicas (maior do que muitos campi universitários brasileiros), que serve para dar suporte para aqueles que decidem sair do armário, no Brasil muitas vezes é preciso contar apenas com a própria força de vontade para manter o bem-estar psicológico. Nesses casos, um grande apoio pode ser encontrado por meio da literatura, grupos de apoio ou de práticas espirituais, como algumas vertentes do budismo, que não faz julgamentos sobre a orientação sexual do indivíduo.

Com isso, algumas perspectivas sobre o desejo devem ser revistas. A atração de um homem mais velho por um jovem, por exemplo, pode ser encarada como uma apreciação da mutabilidade da beleza masculina. A habilidade do jovem em responder a esse sentimento é uma evidência de amor – cujo exercício é gerador de bom carma para as vidas futuras.

O sexo casual, quando bem-sucedido, pode ser encarado como uma transcendência do próprio ego. Se os parceiros não se enxergam apenas como corpos, mas com respeito, conseguem uma real conexão, ainda que fugaz. Tudo depende da intenção.

Se você teve a má sorte de nascer em um lar com pensamento retrógrado ou faz parte de alguma congregação que rejeita seu jeito de ser, tenha em mente que nenhuma verdade é absoluta e que ninguém deve ser julgado por impressões superficiais.

FENG SHUI SOCIAL

É possível estender o conceito do feng shui, a princípio aplicável apenas nos espaços físicos, para relações entre pessoas, nomes de lugares, plataformas políticas, escolha de pratos, design gráfico e até mesmo escolha de roupas. É tudo uma questão de energia, e a maior parte dos princípios não passa de puro bom senso.

Seguindo esse raciocínio básico, não teriam chance de dar certo um portal de internet chamado Vento nem um restaurante Vítreo, ambos rápidos fracassos recentes cujos nomes não passam a menor consistência. Feng shui básico das palavras. Seguindo esse raciocínio, é preciso evitar portas de armários abertas, papel acumulado, janelas com vidros quebrados e lixo ao lado do fogão, princípios fundamentais numa casa com feng shui harmônico, mais por uma questão de higiene e organização do que de misticismo.

O mesmo princípio de uso lógico das coisas e ambientes pode ser aplicado nas relações pessoais. Às vezes sentimos que alguma coisa está errada, que é algo com alguém próximo, uma inadequação. Forçamos a barra de namoros que deveriam ser amizades, ou amizades íntimas com pessoas que deveriam ser apenas conhecidos. Também podemos jogar fora bons pretês confundindo-os com simples trepadas. Ou alçar meras trepadas ao patamar de paixões. Muitas vezes não é preciso nem descartar essas pessoas. Basta trocá-las de lugar que tudo entra no eixo.

Pena que não existe manual nem baguá certo para indicar nossos limites e comportamento ideal perante determinadas situações. A melhor maneira de saber quando se está certo é sentir tranqüilidade com relação a seus atos.

Agir com parcimônia, deixando as relações claras, nem sempre é fácil. Mas é garantia de menos aborrecimento e melhora fluxo de energia em todos os campos da vida.

CURTAS

Se decidir acabar, não esqueça de dar a clássica trepada de despedida. Nenhum relacionamento acaba de verdade sem esse marco histórico.

Em salas de chat, usar os nicks "carente", "sozinho" ou "pidão" é pedir para micar sozinho. Quem, em sã consciência, vai querer um refugo sexual? Experimente usar como apelido casado, noivo ou curioso para ver a diferença.

Sabe qual a melhor maneira de escapar do falatório alheio? Não esconder nada. Desarma o fuxico e aumenta a auto-estima. Aquele executivo almofadinha que se acha imune a comentários só porque leva loiras de aluguel às festas da firma é justamente o maior alvo de chacotas e comentários maldosos pelas costas. E será que existe bandeira maior do que falar em "pessoa" ou "figura" para se referir ao namorado ou à namorada?

Se você é do tipo que prefere ser enganado, tudo bem. Basta continuar fingindo que não ouve os gracejos à sua volta.

Na boate, não jogue lata vazia no chão do clube. Faça o fino e leve até o canto mais próximo. Também não fume na pista, é o cúmulo da falta de respeito. Quase impossível não furar a roupa ou queimar alguém.

Na entrada do clube, pergunte quanto está sendo cobrado. Evite cair na cilada dos "convites vip" que na realidade custam R$ 25,00. E antes de entregar o cartão na saída da boate, faça as contas. Tem gente que se aproveita da leseira alheia.

Misturar drogas é bem mais perigoso que misturar diferentes tipos de álcool. Viagra com Ecstasy, por exemplo, pode matar.

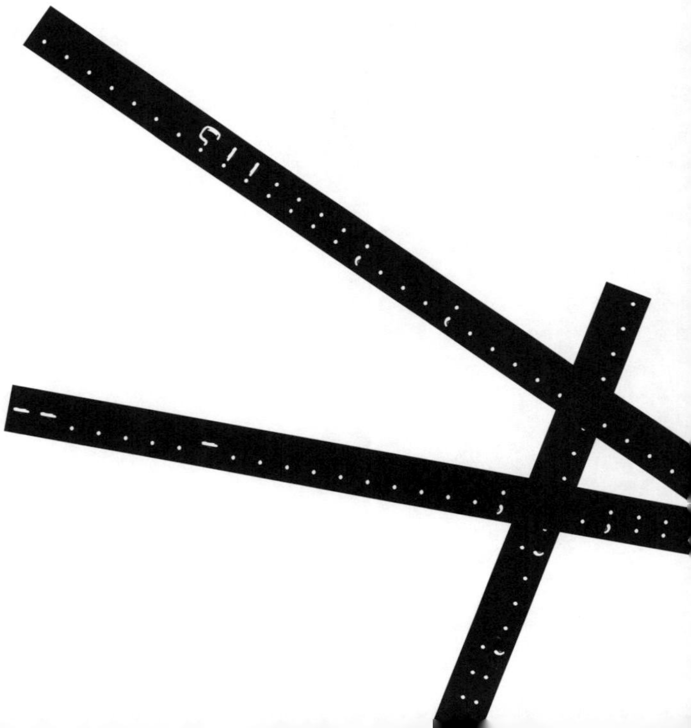

9. A PARADA GAY

A Parada Gay de São Paulo conseguiu o feito de passar de uma pequena marcha improvisada na avenida Paulista em 1997 para o maior evento GLBT do planeta, já em 2003. A "moda" se espalhou com velocidade impressionante, e em 2008 já eram contabilizadas mais de duzentas paradas em todo o Brasil, o que nos torna o país com maior número de Paradas Gays no mundo. O Ministério da Cultura já reconheceu sua importância cultural e financia expressivamente boa parte desses eventos. Infelizmente, até agora toda essa visibilidade não foi traduzida na conquista de direitos efetivos.

Através de artigos publicados na *Revista da Folha* e no portal *Mix Brasil*, conto uma visão bastante pessoal e de bastidores dos primeiros onze anos da Parada Gay.

1997
GAY PRIDE, A HISTÓRIA

No último fim de semana de junho é comemorado, com grande estardalhaço em todo o mundo, o Gay Pride Day (Dia do Orgulho Gay). A origem dessa efeméride remonta aos revolucionários anos 1960, no bairro do Village, em Nova York.

Naquela época, a legislação americana reprimia toda e qualquer manifestação homossexual. No dia 28 de junho de 1969, a comunidade gay, em especial travestis, se encontrava de luto pela morte de Judy Garland, ícone homo desde a Dorothy de *O Mágico de Oz*. Nesse dia, a polícia foi ao Stonewall Inn, o maior bar gay de então, para mais uma de suas atuações repressoras. Dessa vez, no entanto, os clientes do bar resolveram resistir às prisões sem justificativa e montaram barricadas que duraram dois dias. A partir disso, gays, lésbicas e seus simpatizantes aproveitaram o embalo para agitar a campanha por direitos civis e passaram a realizar "paradas" anuais para relembrar o fato.

Você já pode comemorar o orgulho de ser quem você é sem ter de cruzar oceanos para isso. São Paulo oferece pela primeira vez uma agenda animadíssima para quem quer extravasar toda essa alegria gay. Modernos, ativistas, clubbers e travas dão o tom da festa.

Travestis e liberados de todo o país se reúnem de terça a quinta no Lord Palace Hotel para discutir temas fundamentais para a comunidade, como mercado de trabalho fora da prostituição e combate à aids.

O lado político do movimento promove vários eventos. Segunda acontece o "Ato pela Cidadania Plena", no Teatro Municipal. Na terça, 24, às 19h30, tem um debate no Caehusp, com presença do militar gay de plantão Flávio Alves. Na quinta, 26, às 19h, ocorre o "Fórum das Minorias Sexuais", na Câmara Municipal, com a presença de Marta Suplicy. Na sexta, 27, às 19h30, a sala Sony, no MIS, exibe mostra de vídeos sobre paradas gays, para esquentar os tamborins para a Parada do Orgulho Gay, que acontece no sábado.

A Parada, que deve cruzar a Paulista e a Consolação, sai às 13h do edifício da Gazeta. Se você sonhou em ir ao Gay Pride, em Nova York, eis a chance de sair do armário e ajudar a fazer história.

No último fim de semana, milhares de paulistanos finalmente tiveram a sensação de fazer parte de uma comunidade mundial. Pela primeira vez, o "Orgulho Gay" conseguiu força suficiente para ocupar uma faixa da avenida Paulista, e um mix de tribos parou o trânsito da cidade "em nome do amor".

Como na parada de Nova York, o percurso de sábado foi pontuado por hilários gritos de ordem (em frente ao Masp, por exemplo, "Hei, hei, hei, Monet também é gay!"), e houve até um confronto diante da Igreja Universal, quando uma drag queen fantasiada de diabo foi rechaçada pelos fiéis.

A garra dos organizadores do evento de sábado configura um movimento maior que começa a tomar corpo em São Paulo a pretexto de uma possível megaparada em 1998.

1998
ORGULHO BRASILEIRO

Uma das novidades da Parada Gay deste ano em Nova York é a ala do Brazilian Rainbow, agitado grupo ancorado no Gay and Lesbian Community Center formado por brasileiros e simpatizantes. Eles prometem colocar na Quinta Avenida no próximo domingo uma miniescola de samba, com bateria, passistas e destaques. O objetivo é dar maior visibilidade a gays e lésbicas brasileiros, que já fazem grande sucesso durante a comemoração do 29º aniversário do levante de Stonewall, data que pontua o nascimento do movimento gay contemporâneo e é marcada por celebrações nas principais cidades do mundo.

Enquanto isso, paulistanos se organizam para esquentar esta semana, que culmina com a parada do próximo dia 28 na avenida Paulista. Esse domingo, às 10h, uma bandeira de cinqüenta metros com as cores do arco-íris deve ser desfraldada na área das quadras de vôlei do Ibirapuera para marcar a abertura das comemorações.

Durante toda a semana, o recém-inaugurado Espaço Comunitário Gay e Lésbico, montado pelo Caehusp no centro da cidade, promove a Semana dos Diferentes Orgulhosos, com debates diários em torno de temas relacionados com a construção de uma identidade gay como "Família e Homossexualidade" e "Amizade e Erotismo". Na quinta, às 19h, no auditório Paulo Freire, será exibido *Agnus Gay*, vídeo realizado durante a parada do ano passado, seguido de debates.

Na Market Street, principal via de São Francisco, nos EUA, todos os postes estão decorados com imensas bandeiras do arco-íris, que foram colocadas pela prefeitura com um mês de antecedência – tudo para celebrar o Pride.

Participam da grande parada associações de empregados gays de todas as grandes empresas, carros alegóricos das principais casas noturnas e dezenas de grupos comunitários – como Filhos de Lésbicas e Pais de Gays.

Você pode achar tudo isso muito distante da realidade paulistana, mas, para que as coisas chegassem a esse nível, foi preciso uma boa cota de participação dos que acreditam que as transformações são possíveis.

Enquanto isso, São Paulo caminha para uma maior organização e visibilidade de gays e lésbicas, e pela segunda vez acontece a Parada do Orgulho Gay na avenida Paulista, dando provas de que estamos mais próximos de chegar lá.

A concentração começa às 14h em frente ao edifício da Gazeta (avenida Paulista, 900), e a Parada sai às 15h, descendo a avenida em direção à rua da Consolação até a praça da República.

Se no ano passado a coisa já foi animada, com cerca de duas mil pessoas, esse ano deve ser mais ainda. Muitos artistas já garantiram presença, e um carro de som promete fazer bastante barulho durante a manifestação.

Os organizadores escolheram um mascote para o Pride paulista. O cachorro Friday (tido como gay) deve ser um dos destaques.

Vale sempre lembrar que a Parada é acima de tudo uma demonstração de liberdade e respeito e, independentemente de orientação sexual e crenças políticas, todos são convidados a participar e dar seu apoio.

1999
DIA DE FESTA

Existem vários motivos para participar, no próximo domingo, dia 27, da Parada do Orgulho Gay, que sai às 14h do edifício Gazeta, na av. Paulista. Além de entrar em sintonia com um movimento mundial, serão comemorados trinta anos dos conflitos de Stonewall, que deram início ao movimento gay tal como o conhecemos. Ano passado, sete mil pessoas fizeram a festa e finalmente colocaram São Paulo no mapa das comemorações. Este ano, os organizadores esperam o dobro de participantes.

Neste final de semana, milhões de gays, lésbicas e seus simpatizantes em todo o mundo irão às ruas para celebrar o orgulho de serem como são.

A data é uma referência à histórica revolta de Stonewall do dia 28 de junho de 1969.

Na comemoração dos 30 anos do evento, até o presidente Clinton declarou oficialmente junho mês do orgulho gay e lésbico nos Estados Unidos.

Como coincide com o início do verão, a Gay Pride acabou se transformando no grande Carnaval do hemisfério norte.

Em São Paulo, este domingo também vai ser dia de festa. A concentração começa às 14h no edifício Gazeta, na av. Paulista (metrô Brigadeiro).

A Parada terá três trios elétricos, carros alegóricos, megabandeira do arco-íris, distribuição de kits e camisetas, e termina na praça da República, com show de artistas da noite paulistana a partir das 18h.

As meninas também comemoram vinte anos do movimento lésbico e vão ter uma presença especial. Absolutamente imperdível.

***

Em cada cidade brasileira a efeméride ganha um nome diferente. Em Porto Alegre será Parada Livre; no Rio, o pomposo Marcha pela Cidadania Plena; e em São Paulo, a salada de letras Orgulho GLBT. O nome mundialmente consagrado é Gay Pride. Pode parecer americanizado, mas não foram eles que começaram essa história toda?

Aqui em Paris a Gay Pride tem um sabor especial, e não é apenas pelo esperado público recorde de 200 mil pessoas. Uma das atuais obsessões dos parisienses é o apocalipse que começaria pela destruição da cidade e, segundo interpretações de Nostradamus, acontecerá no próximo dia 11 de agosto. Por via das dúvidas, todos querem aproveitar ao máximo, enquanto podem.

Agora sim, São Paulo pode dizer que tem uma Gay Pride de gente grande. Foram 20 mil no domingo passado, e o evento se estabelece como a nossa micareta techno de começo de inverno. O movimento finalmente acertou a mão ao adicionar "fun" à política.

2000
PAVÃO MISTERIOSO

A Gay Pride brasileira, que aqui recebeu o nome de Parada do Orgulho GLBT, vai aos poucos ganhando cara própria, com adesão de patrocínios e apoios. Diferentemente das similares norte-americanas, que são marcadas pela mobilização política e o caráter militante – e, às vezes, uma certa sisudez –, e do carnavalesco Mardi Gras australiano, nossa parada vai tomando ares mais parecidos com o "Gué Prraide" de Paris, cujo caráter mais comercial, explicitado pelas dezenas de carros alegóricos de empresas, marca o reconhecimento da causa pela sociedade organizada.

À medida que cresce em visibilidade, a parada vai deixando de ser de poucos e se tornando uma conquista da cidade. O público de curiosos que assiste ao desfile não vai apenas dançar com os trios elétricos e se divertir com as drags.

A presença desses simpatizantes na avenida demonstra um apoio, mesmo que informal, à causa dos direitos humanos e civis de gays, lésbicas, bissexuais e transexuais. Se você for (e São Pedro ajudar), vamos ver no próximo domingo à tarde, na Paulista, o maior evento gay da história da América Latina.

Destaques da semana do Orgulho Gay. Na próxima terça, estréia *Sereias da Rive Gauche*, peça cult de Vange Leonel que conta a trajetória de um grupo de lésbicas bacanérrimas na Paris dos anos 1920, no Centro Cultural São Paulo. No sábado, no MIS, João Silvério Trevisan lança a nova edição sarada de *Devassos no Paraíso,* a bíblia da história homo brasileira.

A Jovem Pan FM faz, no sábado à noite, programa especial do Orgulho Gay a partir das 21h, tendo como DJ convidado este que vos escreve. No mesmo dia, a TV UOL transmite programação especial Gay Pride a partir das 17h.

Hoje é dia de festa. Muitos vão se concentrar em grupos em casa. A parada deve sair às 14h, do edifício da TV Gazeta, mas, se o tempo ajudar, a av. Paulista já deve ficar elétrica a partir das 13h.

Na Futuro Infinito, acontece concentração de finos a partir das 12h. O grupo Grito de Heliópolis se reúne no GIV e deve ferver a pé o caminho desde a Vila Mariana.

Vamos aos destaques na avenida: a Station faz mistério, mas já se esperam atrações tórridas, a tomar como base o espírito da casa de Pinheiros. A Blue Space repete o sucesso do trenzinho do ano passado, e a Alibi Turismo aumenta o barulho com um dos trios elétricos.

O *Mix Brasil* traz ônibus lounge, com direito a coquetel, open bar, filminhos, distribuição de brindes e Marcelona à porta. O banheiro é uma das atrações para os convidados, já que o vizinho carro d'A Loca vai distribuir chope de graça ao som de dez DJs convidados.

A *G Magazine* estará com o carro de imprensa no local a partir das 8h. No meio disso tudo, o bandeirão de arco-íris com cinqüenta metros (símbolo do movimento gay). Os fofíssimos Ursos de São Paulo estão organizando a Parada Quente, para arrecadar agasalhos. Abra espaço no seu armário levando aquele casaco de quatro coleções atrás.

Atrás da zoeira toda, vem a Parada Limpa, um grupo de voluntários que arrecadará o lixo – mas, por favor, evite jogar no chão os milhares de tranqueiras que serão distribuídos.

No final da parada, show com Edson Cordeiro e convidados na praça da República. Programaço imperdível, que entroniza Sampa como capital gay desse canto do planeta.

Laura Finocchiaro e Estúdio M4J gravaram a versão 2000 de *Pavão Misterioso*, hino oficial da parada, executado em todos os carros ao longo do desfile. A letra não poderia ser mais apropriada: "Eles são muitos, mas não podem voar".

Não temos belezas naturais, arquitetura admirável nem clima aprazível. Mas São Paulo entrou no mapa-múndi, no último domingo, dando uma demonstração de maturidade e cidadania comparável apenas aos movimentos do impeachment e das diretas.

A Parada do Orgulho Gay de São Paulo chegou às capas de todos os jornais do país com seus mais de 100 mil participantes, fazendo bonito e ficando em pé de igualdade com Sydney e Nova York (500 mil), Berlim (350 mil), São Francisco (300 mil) ou Paris (250 mil).

Dê dois, três anos, que nós passamos os gringos!

O apoio da iniciativa privada foi fundamental para o sucesso do evento. As empresas cumpriram o papel que no exterior cabe à própria comunidade, ainda pouco articulada por aqui. Só é preciso tomar muito cuidado para não desvirtuar o princípio da coisa e acabarmos tendo um desfile de logotipos.

Ainda bem que adotamos a fórmula baiana, com muita música e sem aquelas divisões à americana, por blocos étnicos e categorias profissionais (se bem que os gays judeus deram um charmoso toque politicamente correto).

Para o ano que vem, seria bom importar o diretor de harmonia de uma escola de samba carioca para eliminar os imensos buracos entre os blocos na avenida. E sugiro desde já a ocupação das duas pistas da Paulista e um show um pouco mais plural e politizado no final.

Hoje tem parada na avenida Atlântica, no Rio. Os pobres militantes cariocas foram proibidos de usar carros de som. Dá para imaginar aquilo tudo sem barulho?

2001
MICARETA PAULISTA

Ano passado, foram 120 mil pessoas de todas as orientações sexuais celebrando a alegria de viver e a diversidade sem preconceitos durante a Parada do Orgulho Gay. Quem esteve lá deve se lembrar da profusão de marcas de empresas que bancaram a festa, sobretudo de internet, interessadas em conquistar o mercado GLS. Este ano, com a quebradeira do mercado cibernético, os patrocínios estão bem mais curtos. Vai ser a hora e a vez de gays, lésbicas e seus simpatizantes mostrarem que conseguem encher novamente a Paulista com mais força ainda, dessa vez por conta própria, como acontece nas principais paradas do mundo.

A proposta da Associação da Parada Gay é bem simples. Se cada um/a doar apenas R$ 1,00, a parada consegue recursos para montar um dos maiores eventos gays do mundo – hoje já somos o sétimo maior – e provar que somos cidadãos conscientes e com direito à visibilidade. Deixe de ser avarento/a e lembre-se de que, em uma noitada, você gasta pelo menos vinte vezes esse valor, por motivos bem menos nobres.

Você pode fazer sua doação aos agentes identificados (cuidado com os truqueiros!) nos eventos paralelos ou diretamente no "aqüemóvel".

Em Londres, há uma mobilização para boicotar a Gay Pride de lá, cujo show de encerramento reúne grandes astros do pop britânico e passa a ter entrada paga. A organização é acusada de estar tornando o evento demasiadamente comercial. Em Paris, as queixas são contra o excesso de burocracia e o pequeno número de carros de som em relação à multidão que se aglomera nos bulevares. Em Nova York, grupos mais radicais têm sua participação ameaçada. Aproveite enquanto a nossa ainda guarda certo clima caseiro: crie seu bloco, enlouqueça na fantasia. A Parada Gay é a micareta à paulista.

A comunidade GLS paulistana (a palavra comunidade em português soa meio petista, mas nesse caso parece a mais adequada) ganha uma visibilidade sem precedentes durante a semana do orgulho gay, que desponta como uma das maiores comemorações públicas não-carnavalescas do país.

O evento vai figurar em vários espaços da cidade e, se me permitem certa caretice, dou um toque. Produções estrambólicas, beijos e até mesmo um nuzinho aqui e lá são esperados e muito bem-vindos.

Mas lembre-se de que tudo que os caretas querem é um deslize maior para poder justificar uma ação contrária. Seja gentil, aja como um embaixador da causa, seja você gay, lésbica, bissexual, transexual, travesti, ou apenas simpatize com o agito.

Confira os destaques da programação:

• Orquestra Sinfônica de São Paulo toca obras de compositores gays. Hoje, às 11h, na praça da Paz do Ibirapuera.

• Celebração macroecumênica de diversos grupos religiosos gays e simpatizantes, como Igreja Metropolitana e Católicas pelo Direito de Decidir. Quarta, às 20h, na Funarte.

• *Stonewall e Escolinha do Babado*, filmes de edições anteriores do *Mix Brasil*, tratam com bom humor o movimento gay e a identidade sexual. Quarta e quinta, às 18h, no Centro Cultural São Paulo.

• Uma quermesse gay movimenta o Arouche com shows e barraquinhas. Quinta, das 14h às 22h, na Vieira de Carvalho.

• As bolachas invadem o Paraíso no show das divas Vange Leonel, Laura Finocchiaro e suas convidadas, no Centro Cultural São Paulo. Na sexta, às 20h.

• Festa oficial reúne as bibas no galpão da Vila Olímpia. Sexta, a partir das 23h30.

• O esperado Dia Gay no Hopi Hari, inspirado no similar da Disney World, vai fazer muito marmanjo soltar a franga nas montanhas-russas. Sábado, das 10h às 20h.

Essa maratona nada mais é do que o aquecimento para a Parada do Orgulho GLBT, ou parada gay, para os íntimos, no domingo que vem. Novos blocos surgem a cada dia, como o trenzinho alugado por um grupo de lésbicas fervidas.

Hoje, a partir das 14h, são esperadas mais de 200 mil pessoas na Paulista para a 5ª Parada do Orgulho Gay. Encontrar a sua turma é missão quase impossível em qualquer evento dessa monta, mas a divisão em aproximadamente 15 alas facilita a vida de quem ainda não sabe aonde se encaixar.

O carro abre-alas, cedido pela Cavalera, traz a divina Claudia Wonder de destaque. Logo atrás, vem o carro da Associação da Parada e o aqüemóvel, onde você pode fazer sua doação de R$ 1,00 para que a parada possa continuar existindo.

O trade do turismo gay se encontra no trio da Alibi e, felizmente, a discurseira se concentra no carro da militância, onde cada um dos trocentos grupos ativistas se reveza em gritarias de cinco minutos cada.

Depois, vem o carro do Ministério da Saúde, distribuindo camisinhas (encha a mão!). Os campineiros marcam presença no trio da The Club (que, segundo a lenda, é a maior casa gay do mundo) e, atrás deles, as travas da revista *Super Trans*. A SoGo, que reabre esse mês, vem com dois carros no melhor estilo JoãosinhoTrinta.

A bandeira do arco-íris de cinqüenta metros anuncia o Frescão de dois andares do *Mix Brasil*, que concentra vips e artistas, distribuindo pirulitos psicodélicos para o povo. A Loca, o carro mais animado do ano passado, reúne o povo do underground. Minigrupos, blocos do "eu sozinho" e alas independentes são estimulados a se encostar entre um dos grupos organizados.

Na seqüência, os sempre fofos e organizados ursos dirigem o caminhão da campanha dos agasalhos. Doe um. Atrás dos chubbies peludos vem o trenzinho das lésbicas feministas e, fechando a parada, o carro dos cinemões pornô, reunindo freqüentadores do centrão.

O CD do Hino à Diversidade, a música oficial da Parada Gay 2001, com letra de Glauco Matoso, produção de Laura Finocchiaro e cantada no estilo *We are The World* por Chico César e Edson Cordeiro, entre outros, estará à venda por R$ 5,00.

Se foram 200, 250 ou 270 mil, isso é apenas um detalhe. A visibilidade trazida por um evento como a parada gay no último domingo não apenas prova que o paulistano é bom de festa, mas também traz algumas novas responsabilidades. Fica mais difícil para o enrustido justificar sua infelicidade na impossibilidade de se assumir.

As imagens nas manchetes dos jornais e tevês dão a deixa para um diálogo mais aberto sobre orientação sexual, dos lares às mesas de bar. O conservador homofóbico precisa encontrar motivos ainda mais sombrios para justificar suas teorias, confrontados com as imagens de uma comunidade GLS organizada, feliz e harmônica.

Passada a ressaca, somos todos – gays, lésbicas, bissexuais, trans e héteros simpatizantes ou antipatizantes – mais conscientes dos nossos direitos e papel na sociedade.

O trajeto da parada tem três momentos bem distintos. O primeiro, na Paulista, com os carros e produções em todo o seu esplendor e a consciência geral de que câmeras do mundo todo estão documentando aquele show de cidadania e civilidade.

O segundo começa na virada da Consolação e vai até a praça Roosevelt; quando a tarde começa a cair, cada um já encontrou sua turma e os modelões começam a tombar.

A terceira, quando a noite cai, já entre a igreja da Consolação e a República, e se instaura um clima terça-feira-gorda-na-Banda-de-Ipanema. Só que sem a banda.

É tradição das paradas gays mundo afora que nessa data casais celebrem em público sua paixão, e que solteiros encontrem um par, mesmo que fugaz, para compartilhar a alegria da diversidade. Foi bom para você?

2002
GIGANTE PELA PRÓPRIA NATUREZA

São Paulo é conhecida como um grande caldeirão de culturas onde todos se misturam. Diversidade e tolerância são as palavras de ordem nesse caos fascinante e, não à toa, nossa prefeita é uma sexóloga.

A cidade se assume nesta semana como a capital GLS da América Latina e sedia a maratona de eventos do Orgulho Gay. O evento atrai dezenas de milhares de turistas do interior, de outros Estados e até gringos, vindos especialmente para conferir por que nossa parada é mais fervida que as outras.

Amanhã, segunda, acontece às 19h30 no Centro Cultural São Paulo a entrega do Prêmio Cidadania e Diversidade. *A Folha* e sua coluna GLS estão entre os homenageados. Na quinta, o tradicional Largo do Arouche pinta o centro da cidade de rosa, das 14h às 22h, com a Festa da Vieira, uma animadíssima quermesse com shows e barracas no estilo *Mercado Mix* dos bons tempos. O rei da cena carioca Fabio Monteiro faz a festa oficial "X-Demente em SP", também na quinta, enquanto o povo mais underground se encontra no Rabo de Saia.

O programa da sexta começa com Laura Finocchiaro recebendo convidados no show Comédia da Diversidade, no Centro Cultural, às 19h30, com entrada franca. Na seqüência, este que vos escreve recebe bacanas para um *chill in* no badaladérrimo Tostex a partir das 21h. Mais tarde as festas são a Trade d'A Loca na Puerto Livre e a Level. Sábado, das 10h às 22h, é dia de Gay Day no Hopi Hari, a mais insólita e divertida forma de reafirmar sua identidade sexual: um dia gritando no parque de diversões.

O apogeu de tanta ferveção acontece na Parada Gay em si no próximo domingo, 2 de junho. Até o fechamento desta edição, doze carros e trios elétricos de casas noturnas, sites e publicações direcionadas ao público GLBT já estavam confirmados, e outros tantos ainda por confirmar. A previsão é de um número recorde de participantes.

Em todos os eventos serão recolhidos alimentos não-perecíveis. Leve sua contribuição e dê essa prova de cidadania.

Estou sem voz, com um baita galo na cabeça e algumas pequenas escoriações, mas muito feliz com o que vivi ontem na Avenida. São Paulo já tem uma das maiores Paradas Gays do mundo, e fico orgulhoso de fazer parte dela. No *Mix Brasil* e em toda a imprensa você já deve ter visto o que aconteceu. Mas queria compartilhar meu ponto de vista descompromissado sobre aquela catarse coletiva de ontem. Vamos por pontos?

Nosso carro. Optamos por abandonar o ônibus fechado, o frescão mix, por um lounge aberto. Na verdade, um minitrio com uma bem pensada tenda, que protegeu todos do sol escaldante no começo da tarde, ofereceu assentos relativamente confortáveis e onde fervemos todos apertados lá em cima. Uma loucurama total, o dançarino do ventre rolou muito bem, nosso zepellin era o ponto mais alto nos céus da Paulista e Consolação, a distribuição de fósforos foi muito divertida, os balões da Erika que soltamos no Gazeta deram um toque lúdico. Mas faltou potência no som. O clima estava ótimo, todo mundo beijando todo mundo sem distinção de sexo. Só me estressei ao precisar fazer a mãe quando neguinho extrapolava na Mel, a travesti queria ficar pelada, o motorista bêbado parava de dirigir e por aí. Isso tudo tentando fazer o fino sem melindrar ninguém, que afinal de contas era dia de festa...

São Pedro. Definitivamente, um simpatizante. É o quarto ano consecutivo que o céu abre após dias de chuva forte. Dia lindo, contraste perfeito para as cores do arco-íris e para a multidão circular. O *chill in* antes do início da Parada (que começou com quase uma hora e meia de atraso) foi dos melhores momentos. Apesar da inacreditável poluição sonora, era maravilhoso ver a quantidade de gente linda e produzida apertada nas duas mãos de uma Paulista lotada.

Buracos. É o ponto que precisa ser corrigido mais urgentemente no próximo ano. Havia pelo menos quatro megaburacos simultâneos, que ocupavam, cada um, três quadras inteiras da Paulista. Conheço gente que foi embora, achando que a Parada tinha acabado, quando não havia passado nem a metade dos carros. Num determinado momento o carro do *Mix* ficou por quase meia hora parado no Masp, enquanto o carro seguinte estava parado na Gazeta e o da frente já passava da Ministro Rocha Azevedo. Não apareceu ninguém da organização com um rádio por mais de uma hora. Volto a insistir que a Parada merece a contratação de um carnavalesco carioca para cuidar da harmonia e da evolução.

Luciana Gimenez. Nada contra a fofa, mas a escolha da convidada do Hertz foi obviamente equivocada. Lógico que ia pegar mal junto à militância gay, que tem lá suas razões para protestar contra a constante exploração sensacionalista e quase homofóbica do programa. O protesto foi meio exagerado, mas deu um tom americano ao evento.

Sangue. Vi as marcas de sangue na Paulista de uma mulher que teria desabado de um carro e caído de cabeça. Até agora ninguém assume de onde ela teria caído. E a polícia insiste que não houve feridos. Mas que aconteceu, ah, isso aconteceu.

Xepa. Ao chegar na República, a noite já havia caído e o astral já era bem outro. O tom família ficou estacionado na Praça Roosevelt, e o clima era de franca pegação. Vi coisas incríveis no mesmo lugar que Edson Néris foi assassinado. Depois de uma semana de intensa atividade social, era hora de ir para casa e desabar na cama. Sozinho. Meu hóspede parece ter tido sorte. Horas depois, ouvi fogos de artifício. Imaginei que o Brasil estivesse ganhando o jogo na Copa.

Depois do arrebatamento inicial, veio a constatação de que toda essa visibilidade acarreta uma imensa responsabilidade. Ao abandonar o gueto para assumir a avenida, a comunidade GLBT deve encarar a luta por seus direitos e responder por seus deveres.

Se não cabe mais o papel de bode expiatório dos males da sociedade, tampouco cabe aceitar a posição de vítimas indefesas do preconceito.

Causou estranhamento, no entanto, a pouca importância dada ao evento pela mídia, honrosas exceções feitas à *Folha* e ao *Fantástico*. Nem o impressionante número de pessoas – a PM calculou em 400 mil –, que coloca nossa parada entre as cinco maiores do mundo, conseguiu tomar espaço no noticiário da Copa do Mundo.

Talvez seja o caso de repensar o excesso petista de vários discursos, que acabou dando um caráter demasiado partidário à abertura do evento. Fora isso, houve um interessante equilíbrio entre política e diversão, misturando o engajamento das marchas americanas e o clima eufórico das Love Parades européias.

O que experimentamos no último domingo foi um harmonioso deleite cívico: ativistas se manifestando por causas justas (e outras um tanto duvidosas), exibicionistas conseguindo atenção e dezenas de milhares de clubbers que tiveram à disposição um variadíssimo cardápio musical, além da impressionante quantidade de casais héteros, famílias e adolescentes que manifestaram com sua simples presença a simpatia pela causa.

Estou em Miami apresentando curtas no Festival de Cinema Brasileiro. Assim como a parada, a despretensiosa produção nacional de filmes de temática GLS começa a ganhar espaços além do circuitão gay, mostrar sua maturidade e provar que tem muito a dizer.

2003
AR-RE-BEN-TA-MOS

Se São Pedro ajudar, como fez nos últimos anos, e a previsão dos organizadores de 800 mil pessoas se confirmar, a Parada Gay de São Paulo alcançará o pódio mundial dos eventos do Orgulho Gay. A parada de Toronto, a maior do mundo em 2002, deve encolher em função dos severos cortes de apoios e epidemia da Sars. A de Nova York, que já foi a campeã de público, perdeu a mão no aspecto comercial (este ano, acredite se quiser, o patrocinador oficial é o analgésico Tylenol) e atrai basicamente turistas. Só São Francisco e Atlanta estimam reunir mais gays, lésbicas, bissexuais, transgêneros e seus simpatizantes do que Sampa.

No meio dessa multidão multicolorida, é importante localizar sua turma. Serão 21 trios que se concentram na Paulista a partir do Masp às 14h, trazendo variados tipos de participantes e sons; certamente um deles terá a sua cara.

Os cinco primeiros são os da organização: abre-alas, militância, grupos de lésbicas, transgêneros (os homenageados nesta edição) e imprensa. Entre eles, fica a imensa bandeira do arco-íris: ajudar a carregá-la manifesta apoio à causa e possibilita visões lisérgicas embaixo dela. Na seqüência vêm os carros das garotas da Amam e da cidade de Miami.

Os carros oito e nove representam a assumidíssima primeira quadra da alameda Itu em grande estilo. Massivo e Hertz contrataram carnavalescos da Rosas de Ouro para montar seus carros, representando um dragão e um leão no melhor estilo chinês à sambódromo, com som que vai do techno à disco.

Logo atrás vem o carro do *Mix Brasil*, em parceria com a Coordenadoria da Juventude e a Secretaria de Educação, lançando o projeto *Mix Jovem* – que levará a discussão da diversidade sexual às escolas municipais. O clube Xingu fará o décor, e nove dos melhores DJs da cena eletrônica marcam presença embaixo do zepellin amarelo.

O carro da Viva Internacional vem trazendo pura house com DJs gringos e, atrás dele, outra tradição viva da Parada: os superproduzidos Go-go Anjos do carro da SoGo, embalados por Mauro Borges em trajes igualmente sumários. O carro número treze é o da Dona Mix, do Guarujá. Depois vem o trio do lubrificante Semina, que traz uma novidade: vinte boys dentro de uma piscina de gel, ao som de Mau Mau, Pareto e Morcerf.

A Universal Music aproveita a Parada para promover o CD das adolescentes lésbicas russas t.A.T.u no próximo trio. Os campineiros devem se concentrar em torno do carro seguinte, da megaboate The Club. As barbies turbinadas têm como ponto de encontro o carro da Level, onde top go-go boys e top drags animam a multidão ao som de gritaria house. No final, ainda, os carros da Double Face, Angel's Home e revista *Sexy Boys*.

Além dos trios, grupos diversos como os Gays Judeus, Igreja Metropolitana e Mães de Homossexuais marcam presença no chão. As Buadas (Bichas Uó que Amam Demais Anônimas) estarão dispersas pela avenida.

A Parada desemboca às 19h na praça da República, onde a xepa rola solta. Show de Elza Soares e festa rave fecham as comemorações do domingão do Orgulho Gay na capital da diversidade.

Confesso que andava meio borocoxô com a Parada Gay desse ano. A Organização do evento andou brigando com gente demais para meu gosto, um clima estranho para um evento que deveria ser inclusivo por princípio.

A Festa da Vieira achei sem graça, o Hopi Hari perdeu um pouco o sentido. Terceiro ano no parque de diversão com música uó sem novidades. A certa altura, cheguei a achar que ia chover. Que nada!

São Pedro ajudou e fizemos o maior evento do Orgulho Gay do mundo! A capa da Veja ajudou bastante.

No começo parecia que ia ser menor, custou para fecharem a segunda pista da Paulista, o povo chegou mais tarde mesmo. Quando chegamos no Conjunto Nacional, já dava pra ver o mar de gente.

Rolou atraso de quase uma hora, e ainda uma decisão equivocada de tirar o som de todos os carros por quase vinte minutos. No carro do *Mix Brasil*, Bispo mandou ver bem depois, Tonyy fez o lado Trash com sucessos nacionais. Depois Felipe Venâncio, finíssimo, sacudiu a avenida. No final do set, Erika fez sua tradicional revoada de balões. Johnny Luxo levou sucessos da disco, e Jackson abalou na esquina da Augusta com um funk favela. Luca & Liana entraram já na Consolação, quando acendemos as luzes e começou a rolar uma pista com fumaça. A essa altura a vodka com Red Bull já gritava na cabeça de todo mundo. Ana Flávia fechou brilhantemente com um som mais pesado.

Um grupo de flaggers pontuou o percurso de maneira emocionante. Paula Picarelli, a Rafaela de *Mulheres Apaixonadas*, foi completamente ovacionada durante todo o percurso.

Momentos engraçados foram as descidas do zepellin do *Mix*, todo mundo se agachando por conta dos fios dos trólebus na esquina da Augusta.

Ao contrário do ano passado, foi tudo tranqüilíssimo; o único problema foi o excesso de lotação e o drama para os convidados conseguirem subir a partir da entrada da prefeita. Por sinal, a prefeita ia ficar só uma hora, se animou, dançou muito e só saiu depois de quase três horas.

No meio da Consolação não dava pra ver o carro de trás, muitos milhares descendo a ladeira... Quando estávamos já chegando à Praça Roosevelt, uma amiga da Zuba ligou dizendo que ainda tinha gente na Gazeta. Loucurama total...

A não ser que algo de extraordinário aconteça na semana que vem em São Francisco, Paris, Atlanta, Toronto, Nova York ou Berlim, não vai dar pra mais ninguém.

Quem estava no carro do *Mix*: Prefeita, Paula Picarelli, Erika Palomino, Antonio Salomão, Alexandre Herchcovitch, Felipe Veloso, Vic Meirelles, Marcelo Sommer, Lorenzo Merlino, Vange Leonel, Adriano Costa, Ruth Slinger, Alexandre Youssef, Celso Kamura, Marcelo Sebá, Drausio Gragnani, André Hidalgo, Carlos Tufveson, David Polack, Bianca Exótica, Claudia Guimarães, James Green, Beto de Jesus, André Pomba... peraí que vou me lembrar de todo mundo...

Ah... E a Rede Globo, SBT, Bandeirantes, Eldorado, *Estadão*, CBN, *Diário de São Paulo*, Babado, *Folha*... E a gente deixou a Rede TV!, barrada da Parada pela organização, entrar...

2004
SAUDADES DO UNDERGROUND

Parece que quando éramos apenas meia dúzia de gatos pingados entusiasmados com a possibilidade de mudar a sociedade havia um entusiasmo juvenil desprovido de pretensão. O dinheiro (nem tanto) e o poder (ilusório) pelo jeito são capazes de desvirtuar as melhores intenções. Posso soar saudosista, mas com todas as limitações, só mesmo o underground é capaz de manter a independência criativa e de princípios. Pelo menos até virar mainstream...

***

Depois de reunir um milhão de pessoas no ano passado, a Parada Gay de São Paulo prometia um forte crescimento. No entanto, a uma semana de sua oitava edição, boa parte dos eventos paralelos foi cancelada. Também não foi lançada uma campanha de divulgação como nos anos anteriores, nem vai acontecer o show de encerramento na praça da República.

Ano passado, o "patrocínio" da Volkswagen rendeu R$ 300 mil, após ameaça de processo por um questionável comercial com personagem homossexual e com a condição de manter a marca absolutamente invisível durante todo o mês do Orgulho Gay. Uma vergonha.

Este ano, a cota de patrocínio, não vendida, foi oferecida pela exorbitante quantia de R$ 1,8 milhão. Vale lembrar que a Prefeitura de São Paulo fornece todo o apoio logístico para a realização do evento.

Depois de se indispor com parceiros históricos, setor público, imprensa e movimento, a Associação da Parada apontou Nizan Guanaes como bode expiatório do insucesso na obtenção de recursos. Sua agência, a África, foi acusada de pular fora em cima da hora. O publicitário nega que tenha se comprometido a comprar uma das cotas.

Somem-se a isso os altos valores para colocar um trio elétrico na avenida e as duras condições impostas para expor marcas de apoio, que dificultam a participação de pequenos grupos e empresas.

Mas a Parada é uma conquista da comunidade GLBT paulistana, e muito maior do que toda essa inaptidão. Arme seu grupo de amigos, prepare suas faixas (não é cobrada nenhuma taxa para sua exibição, ainda) e se jogue nas festas, que vão acontecer por toda a cidade a partir de quarta-feira, e atrás dos vinte carros que atravessarão o circuito Paulista-Consolação no próximo domingo. É esperado um número recorde de turistas de todo Brasil e do exterior. Mostre seu orgulho e celebre o fato de viver na capital brasileira da diversidade.

A apoteótica Parada do Orgulho (Gay, é preciso ser dito), que reuniu, segundo a Polícia Militar, 400 mil pessoas, colocou no último domingo na carioquíssima avenida Atlântica mais do que uma imensa multidão de barbies, bonecas, bolachas, simpatizantes, curiosos, adolescentes e crianças. Um outro grupo bastante numeroso explicitava sua felicidade de maneira especial.

Boa parte da população de Copacabana é composta por coroas e mais-que-coroas, aposentados ou na ativa, com mais de 60 anos. Muitas dessas pessoas na melhor idade (anote, é o termo politicamente correto) são gays e lésbicas que não puderam, durante a juventude, viver de maneira aberta sua orientação sexual. Poucos conseguiram ter a sensação de formar um casal reconhecido publicamente como tal, ou viver assumidamente como homossexuais solteiros e solteiras.

Percebi em alguns rostos uma sensação meio acanhada de alívio, como se estivessem conseguindo enfim ver um sonho se realizar, ainda que tardiamente.

Eles e elas chegaram a uma fase da vida que costuma ser pintada como o grande pesadelo de solidão e abandono dos gays. A dificuldade de encarar a diminuição do vigor físico e do poder de atração que vêm com a idade afeta a todos, independentemente da sexualidade. E a ciência está aí para nos manter jovens e saudáveis por mais tempo. A larga experiência daqueles que se jogaram muito na vida deve ser usada para abrir novas possibilidades de desfrute além da carne, e para desenvolver outros tipos de relações familiares.

As paradas gays não são só mais uma Banda de Ipanema em proporções eletrônicas. Elas têm um propósito cidadão. Seu princípio político pode ter se dispersado no crescimento vertiginoso, mas elas cumprem a tarefa de não apenas transformar os jovens de hoje em adultos mais tolerantes. Gays e lésbicas que constituem famílias nos moldes tradicionais têm o direito de ser pais, mães, avôs, avós, tios e tias. Para esses, já está mais do que na hora de a sociedade ter a decência mínima de parar de negar direitos essenciais.

E para os que não se enquadram nesse cenário, é bom saber que, lá na frente, poderão estar todos juntos. E na boa.

2005
PARANÓIA COM NÚMEROS

Essa semana, a avenida Paulista sediará dois megaeventos. Na quinta-feira, acontece a Marcha para Jesus, que no ano passado reuniu mais de 2,5 milhões de pessoas e 43 trios elétricos no Campo de Marte. Em sua 12ª edição, tornou-se a maior manifestação de rua do país. O evento, uma demonstração do poder de articulação dos evangélicos, tem pouca repercussão fora da comunidade e reclama do pouco espaço dado pela imprensa à gigantesca manifestação gospel.

Três dias depois, no domingo, acontece a Parada Gay, que em 2004 congregou 1,5 milhão de pessoas e vinte trios elétricos e tornou-se a maior celebração de rua do orgulho gay do mundo. O evento, um sucesso de mídia, reclama da falta de visão de empresas e ainda não conseguiu se sustentar financeiramente através de patrocínios de grandes anunciantes.

Em comum há ainda o fato de serem ambos atos pacíficos de celebração, que acontecem em milhares de cidades nos cinco continentes, e de proporcionarem momentos de alegria para os membros de suas comunidades, minoritárias e muitas vezes alvo de preconceitos.

Nós, participantes da Parada Gay, damos as boas-vindas aos novos vizinhos da avenida Paulista e lembramos que, apesar da postura odiosa de algumas congregações evangélicas com relação a homossexuais, todos – gays, lésbicas, bissexuais, transexuais, heterossexuais, ateus, cristãos, judeus, muçulmanos ou budistas – somos filhos de Deus. Temos todos o dever de compartilhar com cordialidade e tolerância o espaço urbano, e devemos respeitar a diversidade, seja ela religiosa, sexual ou de estilo de vida.

Após tentativas fracassadas, em 1997 dois mil corajosos conseguiram ocupar uma faixa da avenida Paulista carregando bandeiras do arco-íris atrás de uma Kombi, entoando palavras de ordem pelos direitos civis de homossexuais e pedindo a aprovação da parceria civil. A cobertura da mídia se limitou a matérias produzidas por este colunista.

Em 2000, o número de participantes ultrapassava os 100 mil; a parada passou a ter uma organização oficial, conquistou seu primeiro patrocinador, conseguiu atenção de boa parte da imprensa e continuou pedindo igualdade de direitos.

No domingo passado, atingiu um novo patamar: deixou de ser apenas gay, ganhou a cara de uma gigantesca "Love Parade" e se tornou o maior evento turístico da história da capital paulista. Mesmo que o número de bandeiras do arco-íris tenha diminuído e que a autora do projeto cuja aprovação era reivindicação do evento nem tenha sido convidada, é imprescindível não esquecer seu fundamento político e exigir resultados. Para que toda emoção que compartilhamos não tenha sido apenas a de uma festa maravilhosa.

***

O prêmio vai para...

The Week teve o carro mais glamouroso, sem dúvida, com maior número de VIPs. Também os melhores Gogo's, com produção de Walério Araújo. A Loca fez o melhor encerramento de todos os tempos. Fogos e fachos poderosos de luz. Serra, o discurso mais rápido. Madonna teve dois covers no show do palco oficial. O carro da Salete Campari/Editora Jaboticaba era pequeno mas fervia horrores. O da Associação Protetora dos Animais trazia meninas e meninos fantasiados de bichinhos e bichinhas. Camarote Solidário de Roselli Tardelli no Conjunto Nacional oferecia a vista mais completa. Tanta gente, tanta gente, que a Parada ficou parada, sem conseguir sair, por mais de duas horas.

A prefeitura planeja transferir, a partir do ano que vem, a Parada Gay, bem como todas as manifestações que acontecem na Paulista. Seria algo semelhante a banir o Réveillon da praia de Copacabana. A força da Parada reside justamente no fato de ocupar a sede do poder econômico do país e cartão-postal da cidade, além de render imagens emocionantes. Prefeito Serra, apesar de toda a confusão ocasionada no trânsito, por favor, não deixe nossa parada sufocar entre os paredões da 23 de Maio.

Este fim de semana estive na Parada Gay do Rio com nosso carro repetindo a parceria *Mix Brasil*-A Loca. Arrisco dizer que foi o trio mais animado. Sem dúvida a melhor Parada carioca de todos os tempos. Não há dúvidas de que a mais antiga Parada do Brasil cresceu, que está mais representativa, mais organizada e mais animada. Como sempre a polêmica fica em torno do número de participantes. A polícia falou em 300 mil, depois 400 mil, os organizadores em um milhão.

Foi um fim de semana de paradas pelo Brasil e pelo mundo. Não sei quantos mil em Fortaleza, outros tantos em Belém. A polícia e organizadores também discordam nos números em Paris, mas nem tanto: 550 mil contra 700 mil.

Li a cobertura de vários jornais ao redor do planeta nessa segunda pós-Pride. Engraçado que sobre as principais e mais importantes Paradas do mundo, as de São Francisco e Nova York, não há menção sobre o número de participantes. Falam apenas em centenas de milhares. Entendo que depois de trinta e tantos anos isso deixou de ser uma questão. Essas Paradas já tiveram um milhão de participantes, caíram pela metade e atualmente o número varia de acordo com o clima ou algum fato político importante do momento.

O que interessa é a discussão que Paradas levantam. Na Espanha o tema é adoção, no Canadá o casamento, nos Estados Unidos a resistência contra retrocessos propostos pelos republicanos.

Em países onde os direitos são quase plenamente reconhecidos, como a Escandinávia e Holanda, as Paradas são pequenas manifestações mais para marcar a data.

Em Paris, onde a militância gay é relativamente desorganizada apesar dos avanços sociais da comunidade GLBT, a Parada tem caráter mais festivo, mas ainda assim o prefeito Delanoë, gay assumido, comparece para demonstrar seu apoio aos direitos civis – e não para proferir uma simples saudação aos turistas, como fez Serra.

Por aqui a cobertura dos jornais fala apenas de importância do mercado e do número de participantes.

A questão é que nossas Paradas estão crescendo e os números realmente ainda são importantes para justificar o espaço nas capas dos jornais.

Só que claramente estão se distanciando do objetivo inicial. É simpático ter os gays oferecendo uma festa para o resto da sociedade, ver a palavra gay estampada uma vez por ano em manchetes ligadas a algo positivo. Felizmente existe certa complacência da imprensa, que pula a parte de putaria forte que marca as Paradas, como as desnecessárias finais na praça da República ou nas dunas do Lido. Não deixa de ser meio esquisito ver militantes gays usando esses eventos para fazer pegação no meio da rua. Sei lá...

O fato é que, de concreto, não vejo resultados. Por concreto entenda-se resultados práticos, ou seja, legislação pró-direitos civis.

Só espero que as organizações não se confundam com o sucesso de público que as Paradas gays alcançaram no Brasil e tentem virar empresas de eventos gays. Para isso já existe uma classe de empresários da noite muito bem estruturada e que não necessita dessa interferência.

E, na boa, Parada não é lugar para usar verba de campanha de conscientização contra aids. Não é nada disso que estamos falando no dia do Orgulho Gay. Em qualquer lugar do mundo é um evento da própria comunidade, que precisa se mobilizar para que ele aconteça.

Espero que os grupos de militância que conseguirem capitalizar com suas Paradas não façam papelão como o que aconteceu em Londres, que acabou virando apenas um megashow com a marca Pride, e usem o dinheiro arrecadado para trabalhos que realmente possam fazer alguma diferença.

2006
VIRANDO GENTE GRANDE

Nosso camarote durante a Parada, no vão livre do Masp, ficou incrível. A parceria com a prefeitura, sobretudo a CADS, e mais outros tantos apoios viabilizaram essa presença bacana. Vai ser incrível assistir à Parada toda bem localizado. A redação do *Mix* vai se transferir para lá também. Fizemos a primeira transmissão online da Parada, servidor do UOL lotado, gente do mundo inteiro assistindo.

Queria fazer um comentário sobre a Pride & Attitude, a Feira de Negócios GLS que aconteceu na Bienal esse final de semana, antecedendo a Parada. De público não foi essas coisas, mas significou um momento importante para quem estava lá. Significou um marco importante da profissionalização do nosso segmento, prova de que estamos virando gente grande. A presença de grandes empresas como Amsterdam Sauer, Banco Real, Honda, Santander, Warner e SAA, entre outras tantas, mostrou que as corporações estão abrindo os olhos para o público gay.

Para o *Mix* a presença se traduziu em negócios concretos, traduzidos em campanhas publicitárias e parcerias que foram estabelecidas ali já nas próximas semanas.

Estamos mesmo virando gente grande.

Só faltou a Feira se assumir, ser mais gay mesmo. Não ter medo de usar os ícones da nossa comunidade: DJs, barmen, drags, modelos com pouca roupa.

Eles atraem público e não se deve ter vergonha disso. As grandes empresas devem se acostumar com essa linguagem visual, e esperam justamente o público que vem desfrutar disso.

E vale o toque... Já está na hora de acabar com o discurso da chorumela. Os anunciantes não têm mais tanto medo, o preconceito da sociedade e do mercado está diminuindo.

Temos que nos livrar do papel de pobres coitados perseguidos, que parece mais acomodação, preguiça de mudar, sob pena de não aproveitar as oportunidades que claramente se colocam.

2007
CHEGANDO DA PARADA

Nosso lounge foi desmontado, e viemos para a redação do *Mix* terminar a cobertura. Misto de sensações ainda difícil de descrever. Ao mesmo tempo que há um evidente empoderamento da comunidade GLBT – afinal, somos os anfitriões da maior festa da cidade – e uma impecável profissionalização do evento, o gigantismo do evento assusta.

Foi a melhor coletiva de imprensa, cerca de quinhentos jornalistas credenciados, presença do prefeito e de um ministro de Estado, como acontece nas paradas de países civilizados, como Austrália e Holanda. Pela primeira vez patrocinadores compareceram, e na imprensa só se exaltava o tamanho do mercado gay.

Porém, foram incontáveis os assaltos – só entre amigos foram mais de dez. É algo incontrolável em uma multidão desse tamanho. Chato que deixa de ser um evento para a família, não mais pelo fato de ser gay, já que não é mais isso que choca, mas pela violência.

O comentário geral era que a Parada não cabe mais na Paulista. Isso é um erro. É impossível pensar a Parada fora da Paulista, a principal e mais emblemática avenida do país. Uma é sinônimo da outra. Há que se pensar em algumas alternativas para o policiamento no ano que vem, talvez mudanças de trajeto na própria avenida. Por que não pensar em diminuir um pouco o tamanho do evento?

De qualquer forma, foi o ano da consolidação da Parada Gay como segundo maior evento turístico do país, perdendo apenas para o carnaval do Rio. A diferença é que isso aconteceu em apenas dez anos!!! Uma jornalista da tevê japonesa me perguntou qual era a importância da Parada Gay de São Paulo para o mundo. Disse que somos todos testemunhas e participantes de um movimento que está mudando uma sociedade careta (pior, falsamente moderna) como a brasileira, e o melhor é saber que é algo que ainda vai longe. Sem dúvida ainda está apenas engatinhando...

2008
XOXA

Em doze anos de existência, essa é a primeira Parada "menos". Menos gente também, mas nem tanto. E esse nem seria um problema. A superlotação do ano passado é algo que ninguém desejava mais.

Mas na rua havia menos carros, menos montadas, menos gente bonita. Menos violência e melhor organização também, é verdade. Mas certamente menos vibe.

E nem venha dizer que é meu ponto de vista, pois tivemos um lounge mais lindo, mais bem produzido, com mais gente bonita, mais amigos, mais celebridades, mais parceiros e mais patrocinadores do que no ano passado. Delícia de festa.

Só que lá na rua, onde no final das contas é o que importa, estava diferente. Era isso que se via, era isso que quem chegava compartilhava. Ouvi a palavra "xoxa" várias vezes.

Quem foi pela primeira vez achou o máximo. A Parada Gay de São Paulo realmente é o máximo, vai ser difícil acabarem com ela.

Mas esse ano veio burocrática, corrida, sem glamour. Em menos de quatro horas a festa na Paulista começou, terminou e já tinha virado xepa. O último carro, anunciado como surpresa, resumiu o espírito da coisa: um carro vazio, sem ninguém nem nada escrito. Segundo a organização, representava as vítimas da Aids e da homofobia. Terminar uma Parada com uma derradeira ducha fria? Para que mesmo? A ausência de casas noturnas

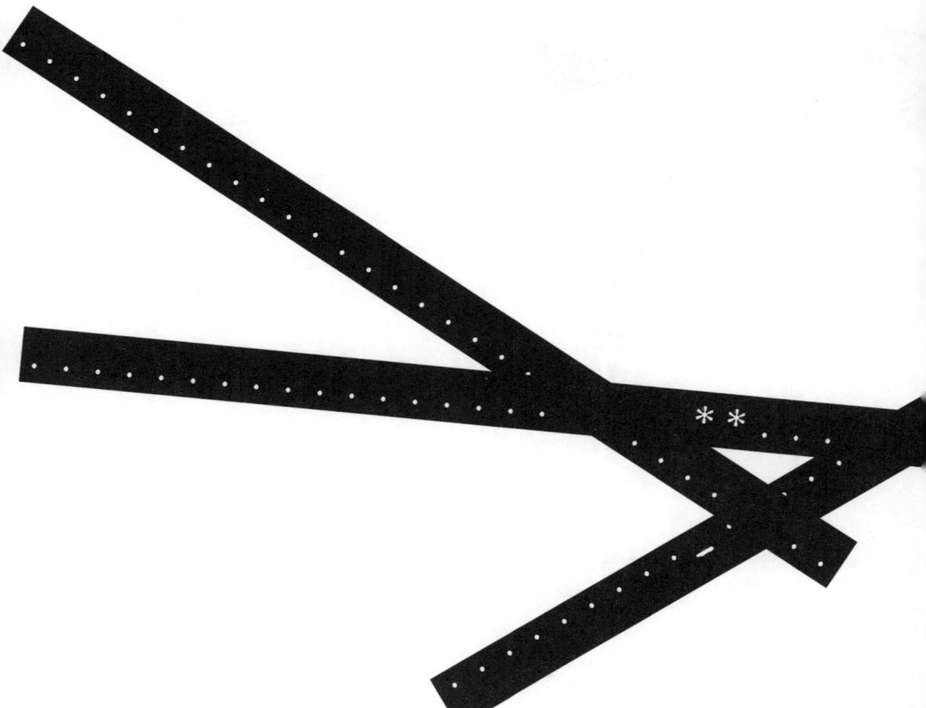

10. DEZ ANOS DE NOITE GAY EM SÃO PAULO

CONSOLAÇÃO

Junho de 1997

São Paulo tem a tradição de concentrar comércios por ramos de atividade: eletrônicos na Santa Efigênia, noivas na São Caetano, tecidos na 25 de Março e por aí vai. A concorrência nesse caso é benéfica para todos, já que o comprador sabe de antemão onde vai encontrar com certeza o produto que procura, com mais opções e pelo melhor preço.

Assim como os fervidos de lá de fora vão a regiões de Marais em Paris, Castro em São Francisco e Boystown em Chicago e em Houston, o GLS paulistano pode sair de casa com um destino certo.

No lado Jardins da rua da Consolação e em suas esquinas, só os mal-humorados crônicos não se encontram. Entre bares, boates e restaurantes, já são doze opções, sem contar a própria rua em si.

Essa tendência foi reforçada no início do ano com a guinada do Pittomba, que causou a revoada do povo do Ritz, e a recente inauguração do bem-instalado Flag.

O bar-restaurante ostenta um "bandeiroso" arco-íris em sua porta, e abre nesse mês um novo espaço para exposições e lançamentos que promete ser o hit do inverno.

STATION

Agosto de 1997

Antes de mais nada, que fique clara a diferença fundamental entre violência e violência consentida. Violência contra a vontade de quem está sendo agredido é o mal maior da humanidade, e deve ser combatida com toda força.

Violência com consentimento e acordo entre as partes envolvidas já é outra coisa, que cai no terreno da fantasia e, aí, deve ser dada total liberdade para que cada um viva aquilo que deseja.

No que se convencionou chamar países civilizados, a comunidade sadomasoquista é tradicionalmente uma das mais ativas dentro do universo gay e lésbico. Nas paradas de orgulho gay de todo o mundo, tem posição de destaque, e são muitas as noites especiais em casas noturnas dedicadas aos que gostam ou querem experimentar sexo sadomasô.

Em São Paulo, já aconteceram festas em boates com o tema, mas nada além de uma festa a fantasia no estilo "festa do cafona", com produção exagerada e de butique.

Os sadomasô legais têm alguns pontos de encontro, mas todos bem escondidos, com freqüência mista e predominância das figuras das rainhas dominadoras.

Nessa semana, a cidade ganhou sua primeira noite SM 100% gay em uma casa no melhor estilo Silverlake. Sempre às quintas, os amantes do prazer com dor passam a ter encontro marcado em Pinheiros.

Os donos da Station montaram uma casa que reproduz fielmente o espírito de bares leather lá de fora, com direito ao primeiro sex club paulistano de verdade.

BAILÃO

Novembro de 1997

A cultura gay muitas vezes dá a impressão de que os homossexuais são sempre jovens e bonitos, imagem reforçada pela enxurrada de corpos juvenis e perfeitos expostos em revistas, anúncios e sites gays.

Em geral, os gays costumam ter aparência mais jovem do que seus pares héteros. Basta sair à noite e comparar os homens que freqüentam as casas GLS com os que estão numa cantina italiana jantando com a família.

Mas não podemos esquecer que todos envelhecemos, e que a maior parte dos solteirões são bon vivants, sem filhos e com orçamento livre para gastos pessoais.

Na região dos Jardins, as BFs estão nos lugares da moda e em festinhas para poucos, mas os coroas do Caneca de Prata também se encontram para dançar. Enquanto os primeiros vão ao *Free Jazz*, os grisalhos dançam ao som de boleros na Marquês de Itu.

Nas últimas semanas, centenas de "senhores respeitáveis" vêm se encontrando nas noites de sábado – onde funcionava o histórico HS –, para dançarem coladinhos, no tradicional estilo Festa Baile.

Entre os freqüentadores, o tipo mais comum é o que os americanos muito apropriadamente rotularam "Daddy": bigodudos e com barriga proeminente, realizando fantasias edipianas de muitos. Como pertencem a uma geração que viveu o preconceito mais intenso, fotografias e qualquer tipo de exposição são absolutamente proibidas pela gerência da casa.

Traumas de lado, o fantasma da solidão compulsória para os gays na terceira idade só assusta os que não buscam saídas para aproveitar a melhor idade.

TECNOMOMO

Fevereiro de 1998

Acabou encalhando em São Paulo? Como tudo sempre tem – ou deveria ter – um lado positivo, o melhor a fazer é aproveitar o que a cidade oferece, além das ruas sem engarrafamento. Para quem gosta de sambão de fita e cantinhos escuros, as opções sem erro são o Basfond, organizado pelo rei da noite gay, Sérgio Kalil, e a Blue Space, que inaugura seus bailes só para homens, incluindo a matinê de hoje.

Mas nem todo mundo se rende à folia momesca no país do Carnaval. Há cinco anos, no Rio de Janeiro, surgiu o Carnaval Off, fazendo uma confrontação aberta ao establishment carnavalesco, com techno explícito e desfiles de moda em plena Marquês de Sapucaí.

Por aqui, alguns modernos também não entregam os pontos facilmente. Em plena terça-feira gorda, Marcão Morcerf assume a trincheira da house music e encarna um Momo diferente, bem mais fashion e distante da histriônica versão carnavalesca.

Na pista, em vez de marchinhas, drum'n'base e house sem vocais. No lugar de cerveja em copos de plástico, taças de frozen marguerita. Espera-se que a animação, mesmo que com motivações distintas, seja a mesma. "Não tem sambinha, mas é para bater o pé", afirma Morcerf. O Glitter, pouso atual de várias facções vanguardetes, vai ser o palco da coroação do novo TecnoMomo, que mantém o cetro até a manhã de quarta-feira de cinzas. Não esqueça os óculos escuros.

GRIND

Maio de 1998

O volume de informação com que somos bombardeados faz com que muitas vezes tenhamos que olhar menos atentamente para nossos semelhantes, criando generalizações nem sempre verdadeiras. Os gays são conhecidos por uma série de estereótipos que muitas vezes não correspondem à diversidade desse grupo. Nem todos são intelectuais, nem todos gostam de techno ou house, nem todos soltam a franga no Carnaval.

Os roqueiros também são marcados pelo estereótipo do mulherengo cabeludo, e o meio do rock'n'roll tem a fama de ser homofóbico. Afirmação totalmente injustificada, se você parar e pensar que Bowie e Marilyn Manson fazem parte dessa turma.

Impressionado com o número de casas em São Francisco e Londres que tocam só rock e são freqüentadas por um público GLS, o editor da revista *Dynamite*, André Pomba Cagni, decidiu trazer essa experiência para São Paulo. Pomba reuniu performers e DJs da cena do rock underground vindos de casas conhecidas desse circuito, como Morcegóvia e Retrô, no Grind-Gls Rock Project, que estréia hoje n'A Loca. "É o rock saindo do armário", brada o produtor.

A programação da nova domingueira pretende abrigar todas as linhas, cobrindo dos anos 1980 ao Industrial, passando pelo Grunge e o Gótico, com noites especiais contemplando cada estilo. Para órfãos dos Smiths, a matinê traz o lançamento do fanzine "We Love Morrissey" e propõe um abaixo-assinado pedindo a vinda ao Brasil do porta-voz gay da depressão existencial britânica.

AROUCHE ETC.

Agosto de 1999

A cidade anda feia de doer, uma verdadeira agressão aos olhos. Mas por mais que queiram, não há como frear a alta energia da noite paulistana e o dinamismo de seus empresários.

Mesmo com toda a crise, a vida GLS dá sinais de vigor, com novidades pipocando em vários bairros.

O Arouche vive um processo de revitalização, reassumindo sua vocação natural de bairro gay com a chegada do fino Café Vermont, somando-se ao formigueiro renovado dos botecos em torno do Habeas Copos e Lord Byron.

Perto dali, o Baile da Saudade (aos sábados, para os coroas, na Marquês de Itu) anda mais cheio do que nunca.

A misteriosa SoGo prepara esquema publicitário inédito para sua inauguração no mês que vem, enquanto o sex club Station pegou de vez no novo endereço.

Victor, da Blue Space, assume o papel de tycoon do mercado gay. Tomou a ponta nos investimentos no segmento com a inauguração da Blue Space Fitness Club, na Vila Madalena, que se soma à Blue Space Boys Show, na Amaral Gurgel, e à matriz azul da Barra Funda. Uma verdadeira holding gay.

Tudo isso sem que a Consolação tenha perdido seu lugar... Nada mais natural que em uma cidade com mais homossexuais do que toda a população de Campinas e Santos juntas, e diferenças culturais e dificuldades de transporte tão cavalares, surjam opções para todos em vários pontos.

SOGO

Junho de 2000

A invasão da SoGo por policiais foi marcada por violência física e verbal contra freqüentadores e funcionários da casa. Segundo testemunhas, na ação, coordenada por um delegado, teriam sido cometidas irregularidades como coação e indução de testemunhos.

O delegado ainda teria ameaçado fechar todos "os antros dos Jardins". O delegado não foi encontrado, e ninguém naquela delegacia prestou informações sobre o caso.

Os proprietários encaminharam denúncia à Corregedoria da Polícia Civil.*

É para garantir que esse tipo de episódio não se repita que devemos lotar a Paulista no próximo dia 25. Felizmente, a SoGo vai estar, firme e forte, com dois carros na Parada, mostrando que meia dúzia de trogloditas não pode intimidar todo um setor da sociedade.

NOITE ILUSTRADA

Dezembro de 2000

Felizmente para todos, a 9ª edição do Melhores da Noite Ilustrada – prêmio da coluna de Erika Palomino na *Folha de S. Paulo* concedido aos destaques da noite paulistana – foi marcada por uma volta às origens e diminuição consistente da mauriçada que havia invadido o tradicional evento na edição 99.

Uma esculhambação saudável, um clima lá-em-casa total na noitada no Lov.e, lembraram que a noite, mesmo com a radical profissionalização dos últimos anos, continua um ambiente feito por e para amigos.

Veja relação dos premiados:

Truque do ano: Roubo de carros nas raves
Hostess: Adriana Recchi

---

* O delegado acabou sendo transferido.

Personalidade da noite: Michael Love (Grind, A Loca)
Drag queen: Léa Bastos e Veronika
Pré-noite: Botechno
Pista: Lov.e
Boate Gay: Diesel na BASE
Noite Fixa: Cio (Stereo às quartas)
Promoter: Cacá Ribeiro (G.L.S.) e André Pomba (Grind)
Melhor festa: Skol Beats
Melhor atração internacional: Green Velvet
DJ de techno: Mau Mau
DJ de house: Felipe Venâncio
DJ de drum'n bass: Marky Mark
DJ revelação: Leozinho
Produtor de música eletrônica: Renato Cohen
Jovem estilista: Marcelo Sommer
Prêmio especial: Luis Pareto

BENEDITO CALIXTO

Fevereiro de 2002

Um conhecido restaurante da capital paulista se tornou recentemente lotadíssimo ponto de encontro GLS nas tardes de sábado. Existe certa tensão no ar entre freqüentadores e proprietários, que temem que a "descoberta" leve a uma perda do seu público tradicional e possível queda no faturamento.

O fato levanta duas questões concretas a serem equacionadas: uma multidão fazendo calçada não significa aumento de consumo ou de venda, muito pelo contrário. Sabe-se que esse público é capaz de gastar R$ 30,00 para entrar numa boate, mas prefere beber cerveja mais barata no boteco careta da esquina a gastar R$ 1,00 a mais para prestigiar o bar que lhes oferece o ponto e som ambiente. Seria bom contar com a consciência das pessoas.

O outro lado são os heterossexuais que se chocam com manifestações públicas de afeto. Quanto a isso não há muito a fazer: contar com o bom senso (e bom gosto) dos mais espevitados e saber que já é tempo de a maioria hétero se habituar com a presença pública da minoria homossexual.

XINGU

Março de 2004

E rolou a reabertura do clube Xingu. A expectativa era tão grande que houve uma megaconcentração de clubbers na loja Theodora, na Galeria Ouro Fino, local escolhido para distribuição dos convites.

Os cem ingressos colocados à venda foram poucos para a demanda, e a lista de espera ficou gigante.

Pudera, sete meses sem Xingu, órfãos do clube se sentiam perdidos na noite. E estava quente, muito quente; ainda assim, as pessoas sorriam e dançavam muito. Os amigos do clube todos estavam lá: Frankie usava chapéu preto e correntes douradas, Ricardo Oliveros divertia todos com um perucão black. Rita Wainer estava de princesa. Renata Bastos usava um longo preto e exibia seu novo visual. No telão, Rodrigo Garcia Dutra e Marcelo Maia exibiam vídeos mixados com imagens da festa, captadas ali na hora.

Nas portas de vidro na entrada estava escrito em batom vermelho: "Bem-vindos ao Xingu: estamos em reforma".

Aí tem aquela ante-sala, que agora é verde-samambaia, onde foram colocados cadeiras, sofás e tapetes. A sala serviu de refúgio quando o calor da pista incomodava muito. E não tem mais aquela cortina de paetês, no lugar dela foi colocada uma porta acústica. Da rua não dá mais para escutar o som de dentro do clube. Agora os vizinhos não podem mais reclamar.

O bar continua no mesmo lugar, e os simpáticos barmen também. Mas a cozinha que nunca funcionou foi derrubada, e a pista aumentou. O DJ continua no mesmo lugar, e o banheiro também. O outro, para meninas, ainda não ficou pronto.

A noite da DJ Camila Kfouri dedicada à música brasileira continua às quintas. Nas sextas rola a noite de Luca e Liana, que passa a ser quinzenal, alternando com o DJ Felipe Venâncio. No sábado tem a noite "Jóia", do DJ Jackson Araújo, também quinzenal. Ricardo Athayde completa o line'up – alternado com Jackson – com sua noite de rock, que agora ganha convidados como Love Foxx, Boderlinerz e Adriano Cintra.

LEVEL

Novembro de 2004

O megaclube paulistano Level, dirigido por Sérgio Kalil, anunciou seu fim ontem. É uma pena. São Paulo perde assim uma das pistas gays mais democráticas da cidade, única a dar espaço – bem demarcado, diga-se de passagem – para diversas tribos que compõem a fauna da cidade. Barbies, trans, modernos, turistas e fervidos que se divertiam juntos na imensa pista do clube, todo santo sábado.

O clube vai entrar na memória afetiva da multidão que já passou por lá. A Level chegou a receber mais de 2.500 pessoas em uma única noite, e não foram poucos os sábados que as portas precisaram ser fechadas por superlotação.

E por que o encerramento das atividades?

O clube vinha lotando nas últimas semanas, os shows continuaram, nada aparentemente mudou. Mas a Level perdeu sua vibe. Sua marca era a da celebração. Sua pista, uma imensa festa. O clube perdeu nos últimos meses essa aura, tão difícil de ser conquistada. Em qualquer clube isso é determinante, e quando se perde, é hora de partir para novas paragens. Sábia a decisão de fechar, mesmo com a pista ainda cheia.

O FIM DA ERA CONSOLAÇÃO

Junho de 2005

Em 1997 deu-se início à formação de um novo bairro gay na capital, com características mais sofisticadas que o Largo do Arouche, que vivia então um período de baixa.

Oito anos depois, a rua da Consolação, entre as alamedas Itu e Lorena, vive um momento de contrafluxo, marcado pela rápida demolição de meio quarteirão onde ficavam os outrora sempre lotados bares Bocage – que se mudou para a rua Melo Alves – e o Hertz. "No começo, o público da região era formado por casais gays e pessoas mais velhas do que as que freqüentam hoje. Queriam curtir, paquerar e consumir. De um ano para cá, houve uma invasão de adolescentes que nem consomem nos bares. Ficam sentados na rua, passam a noite ali. Por isso mudamos." Essa afirmação é de Ana Aloise, proprietária do Hertz, que migrou para as proximidades do clube The Week, na Lapa.

Em seu lugar, a Lopes vai comercializar um edifício estritamente residencial. "O projeto não tem foco em nenhum grupo, mas sabemos que teremos compradores gays, já que o bairro é bastante procurado por esse segmento." É a aposta de Grace Verissimo, consultora de vendas da imobiliária responsável pelo lançamento, que terá apartamentos de três quartos com preços a partir de R$ 600 mil.

Em seu apogeu, a região da Consolação chegou a abrigar quinze casas noturnas, entre clubes e bares, além de uma livraria e duas lojas dirigidas ao público gay. Hoje, restam apenas cinco estabelecimentos: Gourmet, o boteco Amarelinho, SoGo, L'Open e Ultralounge.

Para Rovi Rodrigues, divulgador de clubes da região desde o início do "boom", os moradores do bairro influenciaram a debandada. "O problema sempre foi a reclamação constante dos vizinhos. Era comum ter noites reunindo mais de mil pessoas na rua até altas horas", diz. Mas ele também reconhece outras causas para o declínio. "Hoje já não há mais os mesmos locais bacanas, e a região não consegue mais reunir o público de antigamente." Mesmo com a diminuição da circulação de pessoas, Rovi acredita que a rua mantém sua importância na noite paulistana: "Não nego que já foi melhor, mas não é o fim, ainda."

A sensação é compartilhada por Alex Fernandes, promoter do clube Ultralounge, que permanece na região mesmo após a mudança de quarteirão por conta de ações movidas pela Samorc (Sociedade dos Amigos e Moradores de Cerqueira César). "O público mudou. Agora a Consolação é mais um dos pit-stops antes da balada, até porque as opções diminuíram muito."

Mesmo com a queda do movimento, a moradora Ana Julia Tavares acredita que restam motivos para queixas. "O problema não são só os bares que ficaram, são as pessoas que passam no supermercado e vêm beber na esquina. Mesmo com os fechamentos, elas ainda continuam vindo."

Ao contrário de bairros gays de outras metrópoles que resistem às modas, como o Marais parisiense ou o Soho londrino, empresários e consumidores gays de alta renda parecem optar pela pulverização por diversos bairros da cidade. Na autoproclamada capital gay da América Latina, resiste apenas, apesar dos altos e baixos, a movimentação do popular Arouche.

VEGAS

Novembro de 2005

O Vegas tem resgatado meu gosto pela noite. É possível traçar uma linha que começa no Crepúsculo de Cubatão, passando pelo Madame Satã, Cais, Massivo, Nation, Columbia, Sra Krawitz, Lov.e, A Loca... Mudei eu, mudou a noite, mas me sinto feliz por continuar me jogando e me divertindo como sempre, ainda que com alguns intervalos de descanso.

Junho de 2006

Tem gente que gosta de acabar com o prazer alheio. Não se sentem satisfeitos enquanto não cortam a onda alheia. Os motivos podem ter as mais variadas origens: infância infeliz, pau pequeno ou simplesmente uma deformação de caráter. Em vez de fazerem terapia para resolver seus problemas, preferem assumir o triste papel de brochantes profissionais.

Foi algo assim que acabou com o que prometia ser a festa do ano. O aniversário do Vegas, que reuniria trinta DJs e atrações internacionais em várias casas na rua Augusta, expondo a divertida vocação Las Vegas de uma área ocupada por puteiros. Até Gilberto Dimenstein fez artigo valorizando a iniciativa, que reforça a vocação paulistana como uma das melhores cenas noturnas do planeta na atualidade.

Pois às seis da tarde, no meio de uma reunião, recebo telefonema de alguém da produção dizendo que o evento teria sido cancelado. Eu seria um dos DJs do evento, abrindo o puteiro electro, e havia preparado um set incrível, divertidíssimo. Achei a princípio que era trote. As dezenas de telefonemas que se seguiram não deixaram dúvida.

Como a cidade está se especializando na velocidade e volume dos boatos, na noite de sexta-feira falou-se de tudo. Os rumores mais ouvidos eram que o dono de uma casa concorrente, com forte influência política, teria mandado fechar, ou que a polícia não tinha conseguido a propina pedida para liberar o evento. A primeira tinha até um certo humor como fofoca, mas não fazia realmente nenhum sentido. A segunda, em função do histórico cabeludo da instituição, até poderia ser verdade. Mas também não era.

A imprensa foi chamada para cobrir a palhaçada da intervenção. A idéia era promover um factóide, de que havia preocupação com as condições técnicas de casas que abrigariam o evento. Mas se todos já sabiam da festa há semanas, por que não fazer uma vistoria dias antes, apontar as irregularidades para que houvesse tempo de corrigi-las, permitindo assim que o evento pudesse acontecer? Por que frustrar as mil e tantas pessoas que já tinham ingresso e as centenas envolvidas na produção? Saí ontem na madruga, fazendo uma matéria para *Folha* sobre outro assunto. A revolta era generalizada, com declarações espontâneas – do garçom do boteco ao dono da sinuca – contra a atitude de quem mandou acabar com a festa.

A sensação que ficou foi de uma vontade política de detonar a noite.

Só falta agora instituírem horário de fechamento de casas noturnas, como aconteceu em Bombaim quando um governo ultraconservador tomou posse, ou na Assunção em eterno estado de sítio de Stroessner.

Gostaria mesmo de entender melhor o que passa pela cabeça dessas pessoas...

Setembro de 2006

Fazendo um balanço do fim de semana de jaca que começou sexta no Vegas, um amigo lembra o dito aplicado à peculiar arquitetura da casa, que tem uma pista fina no térreo e outra mais under, propícia a encontros furtivos, no subsolo. "Amor da pista de baixo não sobe a escada", afirmou, ao que outro rebateu dizendo que não só o que ele arranjou subiu, mas saiu da casa dele ao meio-dia. "E depois?"... quisemos saber todos.

"Que depois?", respondeu ele.

THE WEEK

Janeiro de 2007

O domingão de sol indicava que a Pool Party da The Week iria bombar mais uma vez. Sem surpresas, bombou mesmo até as cinco da tarde. Até que começou a chover. Os primeiros pingos não espantaram o povo. Aí veio chuva de verdade. O DJ continuou tocando, o povo foi se esconder em alguma área coberta do clube.

Alguns continuaram dançando ao ar livre, nem aí para a chuva, animadérrimos. Quando a chuva dava uma trégua, todos voltavam; então, chovia de novo, e todos debandavam. Parava, e o povo voltava. E assim foi. Na virada para o DJ espanhol Dr. Kucho a chuva veio forte, e a pista esvaziou rapidamente. O DJ começou o set com uma levada latina, meio salsa, que dava ritmo ao house tribaleiro. No fim do dia, quase sete da noite, o povo finalmente cansou. São Paulo é assim, uma cidade chuvosa.

Mas se é Pool Party, a festa não deveria acontecer em torno da piscina? Com gente dentro dela ou dançando na borda de sunga? Por que então todos ficam de bermuda ou jeans?

O código implícito da festa diz que é cafona mergulhar. Então ninguém liga para a piscina em si. Ou melhor, um ou outro liga, mas são bem poucos.

Para todo o resto, o que vale mesmo é a pista, dançar sob o sol, dançar durante o dia, fritando...

GLÓRIA

Fevereiro de 2007

A festa Chá com Bolachas completou quatro anos no clube Glória, sua nova residência oficial.

Logo na entrada havia uma fila extensa, que só começou a diminuir às quatro. Na pista, meninas bonitas de todos os tipos – bolacha champanhe (fina, alta e elegante), trakinas (sempre dando risada), água e sal (moderna e blasé), entre outras. Patricinhas, meninos lindos e casais hétero também compareceram.

Chandra, a primeira DJ da noite, tocou anos 1960 enquanto o telão projetava animações psicodélicas. A pista lotada correspondeu, enquanto vips jogavam bexigas e serpentinas do mezanino. Depois foi a vez da DJ Barbie, linda com suas orelhas de Minnie, que tocou entre as outras atrações da noite, que foram Las Bibas from Vizcaya, DJ Aline e Dolores de las Dores. A festa foi esquentando, e as meninas subiram até nas caixas de som... De manhã, as portas foram abertas para que a pista se divertisse à luz do sol. A loucura só acabou depois das oito da manhã.

BUBU

Dezembro de 2007

Depois de ficar um mês exato fechado por motivos não esclarecidos, o Bubu Lounge voltou firme e forte. A noite Fun, às sextas, lota de meninos, a Sábado Top enche de meninas – e alguns meninos – e as noites de quarta e quinta e a matinê de domingo também andam bem animadas.

Na pista menor, DJ Paulo Ciotti é rei, com batecabelos do passado e atuais. Na pista principal, Gustavo Vianna aposta nos super-hits. Paulinho Agulhari fechou o line up com set novo, deixando os meninos animados até sete da manhã.

Enquanto isso, continua a espera pela versão megalô do clube, a Megga Fun, que está sendo construída vizinha à The Week e cuja abertura já está virando lenda.

11. ALGUMAS GRANDES CONQUISTAS

A Organização Mundial de Saúde (OMS) estabeleceu em 1971 que a homossexualidade não é patologia nem desvio de conduta.

No Brasil, demorou um pouco, mas o Conselho Federal de Psicologia promulgou em maio de 1999 resolução restringindo a discriminação à orientação sexual. Desde então é considerado antiético propor cura para homossexualidade e, quando procurados para tratamento, os psicólogos devem esclarecer que não se trata de doença ou desordem mental.

Entrou em vigor na França, em dezembro de 2000, legislação que regulamenta a união entre duas pessoas independentemente do sexo, o PaCS, Pacto Civil de Solidariedade. Será que algum dia um presidente brasileiro vai sair de cima do muro e se pronunciar sobre o tema?

Você pode pedir seu Mac Lanche feliz cheio de orgulho. A sede mundial do McDonald's incluiu, em abril de 1999, a orientação sexual entre suas políticas de não-discriminação de funcionários, o que vale para os 250 mil empregados ao redor do planeta, incluindo os brasileiros.

Uma decisão judicial em Porto Alegre, de maio de 2000, determinou que o INSS pague pensão a companheiros do mesmo sexo. A liminar vale como lei até que haja uma regulamentação.

Os assassinos do treinador de cães Edson Néris, morto em ataque homofóbico de grupo de skinheads na Praça da República em São Paulo, em fevereiro de 2000, foram condenados e tiveram penas decretadas um ano depois.

Em agosto de 2002, pela primeira vez no Brasil, foi concedido um visto permanente para uma estrangeira "casada" com uma brasileira.

A decisão foi tomada pelo Conselho Nacional de Imigração (ligado ao Ministério da Justiça), que por meses avaliou a situação da brasileira Cláudia e da francesa Marie (nomes fictícios), companheiras por seis anos. Elas já haviam registrado sua parceria na França, através do Pacto de Solidariedade Civil, análogo à nossa Parceria Civil Registrada (PCR), que espera há anos aprovação no Congresso Nacional.

Sem um pacto civil que registrasse a parceria no Brasil, Marie, com visto provisório, estava para ser deportada quando o casal resolveu entrar com um pedido de visto permanente para a francesa. O representante do Ministério da Justiça no conselho, Luiz Paulo Tales Ferreira Barreto, disse que "se negássemos o visto, estaríamos condenando as duas a se separarem". Depois de provar que a relação era estável, que possuía um imóvel junto com a parceira e, principalmente, ao evocar o acordo de reciprocidade entre Brasil e França (que concedeu visto permanente para a brasileira), Marie obteve o visto, numa decisão inédita da Justiça brasileira.

Aprovada por unanimidade pelos dezessete conselheiros, que se sensibilizaram com o drama do casal, a decisão não abriu jurisprudência nem precedentes: Ferreira Barreto afirmou que "os casos serão estudados do zero", ou seja, cada caso é um caso. Casais de gays e lésbicas terão que depender da boa vontade e de decisões excepcionais da Justiça.

Pelo menos essas decisões caso a caso têm aproximado juristas e legisladores do drama vivido por muitos homossexuais. Ao tomar contato com gays e lésbicas reais, de carne, osso e rosto, os estereótipos são desfeitos e é possível perceber que homossexuais não são melhores nem piores: são igualmente humanos e cidadãos. É no mínimo razoável terem os mesmos direitos.

A Secretaria de Direitos Humanos do Ministério da Justiça lançou em 2004 um ambicioso projeto de combate ao preconceito contra gays, lésbicas, bissexuais e transgêneros. O programa Brasil Sem Homofobia – Combate à Violência e à Discriminação contra GLTB e Promoção da Cidadania Homossexual apresenta 53 propostas nas áreas de educação, justiça, segurança, saúde, trabalho e cultura. O projeto expõe linhas gerais de ações do governo federal envolvendo dez ministérios.

Entre os pontos destacados estão o combate à discriminação no ambiente de trabalho, campanhas publicitárias para uma cultura de paz e de não-violência, criação de centros de referência, produção e distribuição de materiais educativos sobre orientação sexual, superação de homofobia para alunos e professores e mudança de atitude de profissionais de saúde no atendimento da população GLBT.

Se mais da metade dessas metas estiverem realmente em prática até o final dessa década e a mentalidade dos gestores dessas áreas tiver mudado, poderemos começar a vislumbrar a luz no fim do túnel da ignorância homofóbica, onde infelizmente ainda se encontra boa parte da sociedade brasileira.

Em novembro de 2005, a Justiça Federal do Estado de São Paulo determinou que o programa *Tarde Quente*, do apresentador João Kleber, na RedeTV!, fosse tirado do ar por sessenta dias por abusar de manifestações explícitas de homofobia em simulações de "casos reais", onde homossexuais eram ridicularizados e havia um claro incentivo à violência contra gays e transexuais.

Foi decidido também que entidades do movimento GLBT teriam o direito de veicular programas com mensagens de tolerância e anti-homofobia durante dez dias no mesmo horário do programa.

Em novembro de 2006, Justo Favoretto Neto foi abastecer o seu carro em um posto de gasolina na sua cidade, Pontal, interior de São Paulo. Ao notar a presença de Favoretto, que é gay assumido, Juliano da Silva começou a ofendê-lo, a rebolar e imitar trejeitos afeminados, e ainda lhe deu um tapa na cara e arremessou uma lata. Favoretto entrou na justiça com base na lei nº 10.948, que prevê sanções a atos discriminatórios contra homossexuais no estado de São Paulo.

Em fevereiro de 2008, Juliano foi condenado a pagar indenização de R$ 14.880,00 – na primeira vez que a lei foi aplicada desde sua sanção, em 2001.

DIREITO DE CASAR

Holanda (2002), Bélgica (2003), Canadá (2005) e Espanha (2005) são os primeiros países a oferecer o direito de casamento integral – igual ao de casais heterossexuais – a casais homossexuais. Mas outras legislações parecidas com o casamento já estão em vigor em vários países civilizados.

Em 1989, a Dinamarca se tornou o primeiro país do mundo a conceder direitos iguais de união para casais homossexuais. Noruega (1993), Suécia (1994) e Islândia (1996) foram os seguintes. Na Suécia, a adoção de crianças por casais de gays e lésbicas foi legalizada em 2003.

No ano de 1999, a França aprovou a criação de uma nova espécie de casamento, mais fácil e barato de ser feito e desfeito e sem restrição de sexo: o Pacto Civil de Solidariedade (PACS). O prefeito de Bègles, pequena cidade do interior da França, chegou a presidir um casamento tradicional entre dois homens em junho de 2004, que no entanto foi anulado um mês depois pela Justiça. Pesquisa divulgada em janeiro de 2008 atestou que mais de 85% dos PACS são realizados entre casais heterossexuais.

Em 2001, foi a vez de Portugal reconhecer a união entre pessoas que vivem juntas há pelo menos dois anos, independentemente de seu sexo. A Finlândia aprovou a parceria civil para homossexuais no mesmo ano.

A Alemanha aprovou em 2001 um quase-casamento para homossexuais que dá possibilidade inclusive de adotar o sobrenome do outro, mas sem adoção de filhos.

Em 2003, o Parlamento da Croácia adotou lei que concede aos casais homossexuais os mesmos direitos daqueles formados por sexos opostos.

Em dezembro de 2004, o Parlamento neozelandês adotou legislação que dá aos casais homossexuais os mesmos direitos que os casais heterossexuais.

Em 2005, foi a vez da Suíça aprovar legislação semelhante ao PACS francês.

Em dezembro do mesmo ano entrou em vigor no Reino Unido a associação civil entre pessoas do mesmo sexo. Desde 2002 a adoção por casais gays já era permitida.

Também no último mês de 2005 a Suprema Corte da África do Sul determinou a inconstitucionalidade de proibir que duas pessoas do mesmo sexo se casem, e abriu brecha para que alguns casamentos entre homossexuais começassem a ser realizados.

Desde maio de 2003, o governo da cidade de Buenos Aires foi o primeiro da América Latina a autorizar a realização de parcerias domésticas, válidas para casais de qualquer sexo. Outras cidades da Argentina seguiram o exemplo.

Apesar da gritaria dos conservadores, o estado norte-americano de Massachusetts realiza desde maio de 2004 casamentos entre pessoas do mesmo sexo, iguaizinhos ao tradicional homem-mulher. O famoso balneário gay de Provincetown, naquele estado, tornou-se destino de casais americanos que buscam legalizar suas uniões.

POR QUE GAY NÃO VOTA EM GAY?

Com exceção de Clodovil, que chegou a Brasília com voto de donas de casa sexagenárias e discurso beirando a homofobia, até hoje nenhum candidato homossexual assumido conseguiu se eleger para o Congresso Nacional. Por que será que gay não vota em gay? Preconceito internalizado? Discurso inadequado? Ou os candidatos que se apresentaram não representam a comunidade? Vale uma reflexão para as lideranças do movimento organizado, que falhou redondamente em mais uma tentativa de obter representação institucional.

Assim como no processo eleitoral, a vida também nos oferece constantemente possibilidades de novas reflexões e escolha entre as melhores opções sentimentais que se apresentam. Deixar de lado probabilidades remotas e focar em reais possibilidades é uma necessidade constante e urgente, sobretudo quando o tema é namoro.

De que adianta manter vários candidatos se só um (de cada vez) pode tomar posse? Assumir compromisso com alguém implica uma dedicação que, ainda que não exclusiva, significa abrir mão de certas possibilidades.

Por isso, é bom pensar e repensar na hora de fazer uma escolha e apostar em quem pode oferecer um futuro.

Não optar de cara e esperar uma segunda ocasião pode ser mais conveniente e reafirmar preferências mais amadurecidas. Comparar sempre vale a pena.

E não deixe de lado os aspirantes à reeleição. A escolha de quem já se conhece não é necessariamente uma atitude conservadora e, negociada em novas bases, pode até constituir uma mudança.

Ao contrário da eleição, temos a chance de terceiro, quarto ou quinto turnos, caso a parada não se decida. Cuidado apenas para que os postulantes ao cargo não desistam diante de sua inconstância, e você veja anuladas suas intenções de voto.

E OS CANDIDATOS?

A militância gay vem discutindo o dever moral do voto em candidatos assumidamente homossexuais, independentemente da pessoa ou do partido. Grande parte dos ativistas defende a importância da representação direta do segmento junto ao poder público. Nas eleições de 2006, mais de trinta candidatos em todo o país, de esquerda e direita, eram homo ou transexuais. Mas será que uma pessoa me representará bem pelo simples fato de ser biba, bolacha ou trava?

Para começar, tenho uma cesta de partidos que se aproxima mais de meu ideário político, e não penso em votar fora dela. Como costumo escolher com atenção meus candidatos, busco alguém que seja mais a minha cara, que acredite (ou pareça acreditar) nas coisas em que acredito, independentemente da orientação sexual, e que também inclua a questão do combate ao preconceito e luta por direitos civis iguais em suas propostas.

É claro que não teremos um Legislativo realmente representativo enquanto não forem eleitos gays e lésbicas. Mas faltam lá também índios, budistas, botafoguenses, mais negros e mais mulheres.

Isso só se resolverá com um nível muito maior de articulação do ativismo, e com o surgimento de candidaturas gays mais próximas de seu potencial eleitorado.

ATLETAS GAYS, ASSUMAM

Setembro de 2004

Por não possuir modelos comportamentais facilmente acessíveis, muitas vezes jovens homossexuais costumam usar os exemplos disponíveis, seja para segui-los, seja para fugir deles.

Há tempos, as femininas pareciam ser a única opção para homens que gostavam de homens. Quem não se identificava com esse tipo simplesmente não se considerava gay, pois parecia não haver outras demonstrações públicas da homossexualidade.

Atualmente, um vasto cardápio de possibilidades está disponível para os que querem se identificar com o modo de ser gay: barbies musculosas, ursos barrigudos, bigodudos de boné, clubbers coloridos, modernos estilosos, executivos maurícios e por aí vai. Ainda assim, uma vida social baseada na noite parece ser compulsória para quem decide assumir sua orientação sexual. É aí que se reduzem as opções.

O herói olímpico canadense Mark Tewksbury acredita que o esporte pode e deve ser apresentado como uma das mais saudáveis opções de estilo de vida para gays e lésbicas.

No lançamento dos Jogos Olímpicos Gays de 2006, em Montreal, que têm o nadador como co-presidente, Tewksbury falou sobre as dificuldades experimentadas por jovens atletas gays em um meio ainda dominado pelo pensamento machista, sobre o crescimento vertiginoso do movimento esportista GLBT e por que ele é tido como sinal consistente do desenvolvimento de uma comunidade gay local.

Na Alemanha, por exemplo, existem mais de setecentas associações municipais de natação gay, e seus campeonatos fazem parte de um agitado calendário esportivo europeu. Na Argentina há times de jogadores assumidos que participam de uma liga própria, e Buenos Aires sediou, em setembro de 2007, o Mundial de Futebol Gay, com 22 equipes de nove países.

O fato de um ídolo nacional (que é membro do COI e apresentador de um popular programa de tevê) ter se assumido publicamente logo após conquistar suas medalhas em Barcelona facilitou a vida de muitos e impulsionou a criação de grupos de esporte no Canadá. Os vários e várias atletas olímpicos brasileiros homossexuais que ainda não se assumiram poderiam dar sua contribuição e servir de bom exemplo para os jovens que querem praticar esporte e viver sem ser obrigados a se esconder.

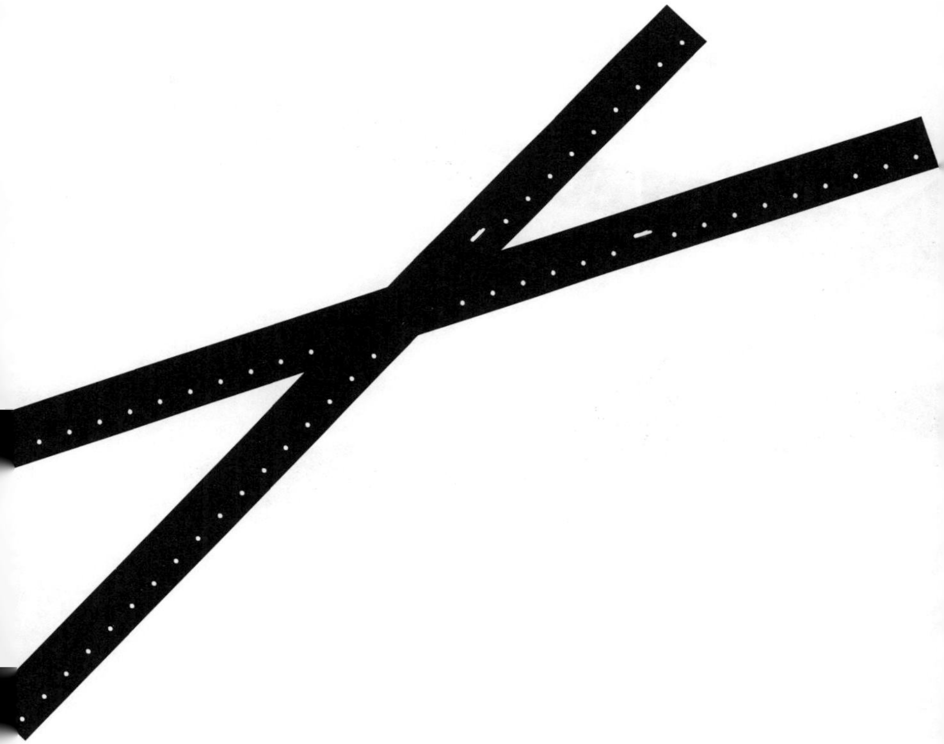

12. GAYS NA TEVÊ

A televisão é um dos campos de batalha mais evidentes da questão da visibilidade gay na sociedade brasileira. Aparições superdiscretas, a ponto de muitas vezes passarem invisíveis para parte do público, eram a marca dos personagens homossexuais nas novelas nacionais até a década de 1990. Os finais trágicos e raros tipos cômicos foram cedendo espaço a casais de belos e assumidas que queriam adotar, a ponto de no primeiro semestre de 2008 Globo, Record e Band terem personagens gays no horário nobre, simultaneamente.

PERSONAGENS G, L, B E T NA TELEDRAMATURGIA BRASILEIRA

O Bofe (1972/73), de Bráulio Pedroso – novela das 10
Ziembinski interpretando a cômica tia polonesa Stanislava.

O Rebu (1974/75), de Bráulio Pedroso – novela das 10
O magnata Conrad Mahler (Ziembinski) tem um caso com o jovenzinho Cauê (Buza Ferraz). Glorinha (Isabel Ribeiro) e Roberta (Regina Viana), cujo beijo no capítulo final é suprimido por imagens dos bondinhos do Pão de Açúcar.

Dancin' Days (1978/79), de Gilberto Braga – novela das 8
Everaldo (Renato Pedrosa), o afetado mordomo da vilã Yolanda Pratini.

Os Gigantes (1979/80), de Lauro César Muniz – novela das 8
Evidente tensão sexual entre as amigas Paloma (Dina Sfat) e Renata (Lídia Brondi) até que a primeira se suicida.

Brilhante (1981/82), de Gilberto Braga – novela das 8

Inácio (Dênis Carvalho) é rechaçado pela poderosa mãe Chica Newman (Fernanda Montenegro), que tenta afastá-lo de outros homens. Ele tem final feliz com o namorado Cláudio (Buza Ferraz).

Partido Alto (1984), de Aguinaldo Silva e Glória Perez – novela das 8

O guru truqueiro Políbio (Guilherme Karam) não desgrudava de seu ajudante-amante Raposo (Guaracy Valente).

Um Sonho a Mais (1985), de Lauro César Muniz – novela das 7

Comédia onde o personagem de Ney Latorraca se passa por Anabela Freire e chega até a casar com o milionário Pedro Ernesto (Carlos Kroeber). No casamento, trocam um selinho, que pode ser considerado o primeiro beijo entre homens das novelas brasileiras. Surgiram ainda duas irmãs crossdressers não previstas no roteiro inicial, Florisbela (Marco Nanini) e Clarabela (Antonio Pedro). A sexóloga Olga Del Volga, de Patrício Bisso, chegou a participar de vários capítulos, até a censura exigir a saída de todas as trans da novela.

Grande Sertão Veredas (1985), de Walter George Durst – minissérie

O crossdresser Diadorim (Bruna Lombardi), do romance de Guimarães Rosa, desperta a paixão de Riobaldo (Tony Ramos), que é atormentado pela possível homossexualidade.

Roda de Fogo (1986/87), de Lauro César Muniz – novela das 8

Mário Liberato (Cecil Thiré) tinha fetiche por couro e mantinha até uma masmorra SM no porão de casa. Tinha um caso com o mordomo Jacinto (Claudio Curi). Ambos foram assassinados.

Mandala (1987/88), de Dias Gomes – novela das 8

O bicheiro Laio (Perry Salles) é bissexual, tem um caso com Cris (Marcelo Picchi) e desenvolve forte tensão sexual com o amigo e guru Argemiro (Carlos Augusto Strazzer).

Vale Tudo (1988/89), de Gilberto Braga – novela das 8

Laís (Cristina Prochaska) e Cecília (Lala Deheizelin) formam casal e são donas de uma pousada em Búzios. Cecília morre, levantando a questão de quem deveria ficar com os bens. Laís tem final feliz ao lado de Marília (Bia Seidl).

Mico Preto (1990), de Marcílio Moraes – novela das 7

O deputado José Maria (Marcelo Picchi), solteirão e candidato a governador, mantinha um discreto romance com Zé Luís (Miguel Falabella).

Boca do Lixo (1990), de Silvio de Abreu – minissérie

O milionário Henrique (Reginaldo Faria) tem um caso com seu empreiteiro Tomás (Alexandre Frota), e é descoberto por sua mulher Cláudia (Silvia Pfeifer).

Barriga de Aluguel (1990), de Glória Perez – novela das 6

O afetado coreógrafo Lulu (Eri Johnson) foi dos mais populares da novela.

Pedra sobre Pedra (1991/92), de Aguinaldo Silva – novela das 8

O dirigente do Grêmio Recreativo, Adamastor (Pedro Paulo Rangel), tinha uma paixão enrustida pelo seu patrão Carlão (Paulo Betti).

Renascer (1993), de Benedito Ruy Barbosa – novela das 8

Buba (Maria Luisa Mendonça) é o primeiro hermafrodita da teledramaturgia nacional.

A Próxima Vítima (1995), de Sílvio de Abreu – novela das 8

Sandrinho (André Gonçalves) e Jefferson (Lui Mendes) formaram o primeiro casal gay inter-racial assumido com história completa sobre seu relacionamento, relações familiares e final feliz.

Engraçadinha (1995), de Nelson Rodrigues – minissérie

Letícia (Maria Luisa Mendonça) seduz Silene (Mylla Christie) e depois morre.

Explode Coração (1995/96), de Glória Perez – novela das 8

Sarita Witt (Floriano Peixoto) ficava no meio caminho entre travesti e drag queen, e chegou a se apaixonar por uma mulher.

A Indomada (1997), de Aguinaldo Silva – novela das 8

A masculina Vieira (Catarina Abdala) tem um caso com a dona do bordel Zenilda (Renata Sorrah), mas termina com outra mulher, enquanto Zenilda se envolve com um homem.

Zazá (1997/98), de Lauro César Muniz – novela das 7

RoRo Pedalada (Marcos Breda) era uma drag queen heterossexual; executivo de dia, fazia shows à noite.

Anjo Mau (1997/98), de Maria Adelaide Amaral – novela das 6

O cabeleireiro gay Beni (Luiz Salem) tem um caso com uma mulher mais velha, Elisinha (Ariclê Perez).

Por Amor (1997/98), de Manoel Carlos – novela das 8

Rafael (Odilon Wagner) abandona a mulher para ter um caso com Alex (Beto Nasci).

Hilda Furacão (1998), de Glória Perez – minissérie

Cintura Fina (Matheus Nachtergaele) é um travesti que usa navalha como arma para se defender.

Torre de Babel (1998/99), de Silvio de Abreu – novela das 8

Leila (Silvia Pfeifer) e Rafaela (Christiane Torloni) formam um casal de arquitetas lesbian chic, com cenas sensuais. Como se tornaram bodes expiatórios do fracasso de audiência, morreram na explosão de um shopping.

Suave Veneno (1999), de Aguinaldo Silva – novela das 8

O pai-de-santo Uálber (Diogo Vilela) e seu afetadérrimo assistente Edilberto (Luiz Carlos Tourinho) formavam o popular núcleo cômico. Uálber teve final feliz ao lado de Vanderlei (Licurgo Spínola).

Malhação (2001)

O mal resolvido Sócrates (Erik Marmo) chegou a bater em colegas que insinuavam sua homossexualidade. No final da temporada se assumiu e pediu transferência para a escola em que estudava o namorado Carlos (Gabriel Gracindo).

Roda Viva (2001), de Solange Castro Neves – novela da Record

Ronaldo assume homossexualidade para a mãe e luta para ser aceito pelo seu pai.

Desejos de Mulher (2002), de Euclydes Marinho e João Emanuel Carneiro – novela das 7

Ariel (José Wilker) e Tadeu (Otávio Muller) formam casal poderoso no mundo da moda.

Mulheres Apaixonadas (2003)de Manoel Carlos – novela das 8

As estudantes Clara (Aline Moraes) e Rafaela (Paula Picarelli) passaram a novela toda lutando para manter o relacionamento, apoiadas pelos amigos mas contra a mãe de Clara. No capítulo final, um singelo selinho trocado durante a apresentação de *Romeu e Julieta* na formatura, em que elas representaram o casal.

Celebridade (2003), de Gilberto Braga – novela das 8

Dora (Renata Sorrah) foi seduzida pela vilã Laura (Claudia Abreu), e tiveram um rápido affair.

Senhora do Destino (2004), de Aguinaldo Silva – novela das 8

Ubiracy (Luiz Henrique Nogueira) era o carnavalesco afetado que mantinha um caso com Tourão (Marco Vilela). As belas Eleonora (Mylla Christie) e Jenifer (Bárbara Borges) tinham apoio incondicional dos pais, foram viver juntas e chegaram a adotar uma criança.

América (2005), de Glória Perez – novela das 8

O belo Junior (Bruno Gagliasso) lutou para esconder da mãe sua homossexualidade. No capítulo final, o beijo que selaria o final feliz com Zeca (Erom Cordeiro) foi cortado contra a vontade da autora.

Malhação (2006)

A professora de dança Marcela (Paula Kill) se assume lésbica para um aluno que estava apaixonado por ela, e passa a ser perseguida por duas patricinhas que promovem campanha pedindo sua demissão.

Belíssima (2006), de Silvio de Abreu – novela das 8

No último capítulo, Rebeca (Carolina Ferraz) e sua sócia Karen (Mônica Torres) terminam juntas a bordo de um iate, trocando juras de amor, e Gigi (Pedro Paulo Rangel) acaba com um gogo boy.

Páginas da Vida (2006/07), de Manoel Carlos – novela das 8

O médico quarentão Marcelo (Fernando Eiras) forma com Rubinho (Thiago Picchi) um casal perfeito e sem conflitos que pretende adotar uma criança.

Paraíso Tropical (2007), de Gilberto Braga – novela das 8

Rodrigo (Carlos Casagrande) é gerente do hotel onde se desenrola a trama. Forma com Tiago (Sérgio Abreu), o recepcionista, casal estável de belos que jogam vôlei na praia e não têm conflitos. Uma trama paralela apresentou Hugo (Marcelo Laham), que tem um caso com o musculoso Felipe (Miguel Kelner); os dois são desmascarados ao armar casamento falso com a vilã Taís (Alessandra Negrini) para tirar dinheiro dos pais.

Duas Caras (2007/08), de Aguinaldo Silva – novela das 8

Bernardinho (Thiago Mendonça) é chef de cozinha, gay assumido que vive triângulo amoroso envolvendo Dália (Leona Cavalli) e Eraldo (Alexandre Slavieiro). Jojô (Wilson dos Santos) apenas finge ser gay para chamar atenção para sua casa noturna. Bernardinho se envolve com o trambiqueiro Carlão, com quem acaba casando no final. Mais uma vez o beijo, prometido pelo autor, não acontece.

Caminhos do Coração (2007/08), de Tiago Santiago – Record

O afeminado Danilo (Cláudio Heinrich), cuja música tema é *Robocop Gay*, se casa para não perder a herança.

Dance, Dance, Dance (2007/08), de Yoya Wursch – Band

Christian Garcia (Lorenzo Martin) é DJ e gay assumido.

Beleza Pura (2008), de Andréa Maltarolli – novela das 7

Betão (Rodrigo Lopéz) é o melhor amigo de várias personagens femininas da trama, mas teve um filho com uma amiga na adolescência.

Queridos Amigos (2008), de Maria Adelaide Amaral – minissérie

Dono de uma editora, o rico e sarcástico Benny (Guilherme Weber) descobre ser soropositivo após tomar uma surra em banheiro público. Cíntia (Odilon Esteves) e Brenda (Ricardo Monastero) encarnam travestis finas.

A Favorita (2008), de João Emanuel Carneiro – novela das 8

Na trama, Orlandinho (Iran Malfitano) se apaixona perdidamente por Halley (Cauã Reymond), que finge ser gay para se dar bem e colocar as mãos na fortuna de Orlandinho, sem, no entanto, ser bem-sucedido nesta empreitada.

Catarina, personagem vivida por Lília Cabral, após dar um basta nas agressões sofridas por parte do marido, viverá um romance com Cléo (Paula Burlamaqui).

OUTROS MOMENTOS IMPORTANTES NA TEVÊ

Madrugada Sexy - 1997

A TV Gazeta de São Paulo exibiu *Madrugada Sexy*, cult pornô apresentado por Elaine Pontim diariamente após as duas da manhã. O segmento GLS, que incluiu uma mininovela com cenas de nu e insinuação de sexo entre homens, era patrocinado por serviços de encontro por telefone. O programa chegou a alcançar o segundo lugar de audiência no horário.

Leão Lobo 8 - 1999

Leão Lobo tocava *Bilu Tetéia* no programa *Mulheres*, da TV Gazeta, quando falava de atores cuja orientação sexual era questionada por cartas maliciosas enviadas por "telespectadores", o que lhe rendeu alguns processos.

Comando G - 2000

Associação entre Goulart de Andrade e *G Magazine*, apresentado por Mateus Carrieri e Nany People, como repórter especial. TV Gazeta, à 00h30.

20 e Poucos Anos - 2000

Rogério Munhoz mostrou seu dia-a-dia como gay e urso no reality show pós-adolescente da MTV.

No Limite 2 - 2001

Lhitis, participante da segunda temporada do reality show da Globo, assumiu ser lésbica.

Fica Comigo Gay - 2001

Exibida primeira versão gay do programa *Fica Comigo*, apresentado por Fernanda Lima na MTV.

Conrado era o "querido", químico-farmacêutico, católico praticante que, após buscar um pretê por mais de um ano, decidiu arriscar a exposição pública para encontrar um namorado sério. Aos 29, ele é o mais velho dos participantes desde que o programa começou, e o tom descontraído dos pós-adolescentes das demais edições heterossexuais do programa destoou do discurso mais determinado dos quatro pretendentes gays. Beijo cinematográfico levou a platéia ao delírio e bateu recorde histórico de audiência na MTV.

Fica Comigo "Lésbico" - 2002

A querida Ângela não beijou sua escolhida. Apresentado por Fernanda Lima.

Big Brother Brasil 5 - 2005

Na quinta e mais bem-sucedida temporada do mais popular reality show brasileiro, Jean Wyllys se assumiu gay no primeiro paredão e venceu os outros seis a que foi submetido, até vencer o programa no voto popular e faturar R$ 1 milhão.

Beija Sapo - 2005

Programa da MTV apresentado por Daniella Cicarelli trouxe no mês de novembro uma edição lésbica – em que se beijaram Loredana e Renata – e a gay – em que o "príncipe" Rodrigo beijou o "sapo" Maicon. Ambos beijos longos e de língua.

Outro Olhar - 2005

Marcelo Bonfá e Laura Finocchiaro lideram programa de debates no Canal Comunitário em São Paulo, que vai ao ar por três meses.

VMB - 2006

Na entrega anual dos prêmios da MTV, os apresentadores Marcos Mion e Cazé Peçanha protagonizaram um beijo cinematográfico à *Brokeback Mountain*.

Cine *Mix Brasil* - 2007

Canal Brasil apresenta programa de curtas metragens nacionais de temática GLS, apresentado por este que vos escreve. Segunda temporada acontece em 2008.

Big Brother Brasil 8 - 2008

O urso Marcelo Arantes se assume gay e acusa outros membros da casa de esconderem homossexualidade. Mesmo eliminado a um mês da final, foi considerado o protagonista da edição.

QUEER EYE

Já foi o tempo em que gays eram identificados como amorais, promíscuos e envergonhados comedores de criancinhas. O preconceito contra homossexuais continua existindo, mas sua imagem pública está hoje mais associada à expertise em moda, cozinha e música, e a uma boa dose de puro hedonismo. O que não deixa de ser um avanço.

Prova disso é *Queer Eye for the Straight Guy*, grande sucesso da tevê americana. O programa, exibido no Brasil pelo canal pago Sony, mostra cinco especialistas gays dando dicas para heterossexuais mal-ajambrados se tornarem mais interessantes para as mulheres. O que reforça a tese de que elas gostariam de ter homens mais parecidos com gays. Só que gostando da fruta.

Tenho duas amigas com visões bem distintas sobre a influência do fenômeno sobre os bofes. Uma acredita que eles estão melhorando, influenciados pelo fascínio explícito das mulheres por homens mais sensíveis. Seriam os tais metrossexuais: cultos e preocupados com a aparência, parecem que são, mas não são. E justamente por isso estariam sendo disputados a tapa pela mulherada. Outra amiga discorda, afirmando que eles estariam ficando mais trogloditas, como maneira de se contraporem aos cada vez mais visíveis homossexuais. Acho que tudo vai depender dos antros que são freqüentados.

E já que são praticamente inevitáveis os estereótipos nessa sociedade fast-food, que consome imagens superficiais, é importante que aprendamos pelo menos a utilizá-los em nosso favor.

POR UMA "CASA DOS ARTISTAS" GAY

Já tive o repetido desprazer de ver conhecidos gays e lésbicas que, ao se tornarem famosos, são acometidos por um surto de baixa auto-estima e passam a esconder sua sexualidade. É certo que ninguém tem a obrigação de usar sua exposição pública como palanque homossexual, mas daí a se apresentar como uma pessoa que não existe vai uma grande diferença.

Pobres crianças que nascem de casamentos de conveniência apenas porque suas mães sapatas exploram a maternidade acreditando ser o melhor caminho para serem aceitas pela sociedade. Deplorável cena da bichona se lambendo com modelos em festas globais, achando que com isso ganha prestígio e talvez possa emplacar uma foto em *Caras*.

Ao adotarem essa atitude, reforçam o preconceito de que ser gay é um desvio aceito apenas para pessoas sem rumo na vida. Construindo uma nova persona pública heterossexual, reafirmam o estigma de que para ser bem-sucedido é preciso esconder "tendências pecaminosas". Como ninguém consegue sufocar seu desejo por muito tempo, fazem parte desse pacote a vida dupla e complexo de perseguição. A falha de caráter logicamente não reside no fato de ser gay, mas em tentar enganar os que estão a sua volta.

Felizmente, esses tristes exemplos têm sido substituídos por alguns famosos que buscam uma vida mais sincera. Como Will Young, que saiu do armário ao vencer o programa britânico *Pop Idols* (matriz do brasileiro Fama) e conseguiu um acréscimo à sua popularidade pela coragem de não se esconder. Quem sabe um dia nossa televisão também tenha maturidade para ter seus *Big Brothers* e *Casas dos Artistas* habitados por moradores que se assumem.

A VITÓRIA DE JEAN NO BBB5

Na primeira semana achei o cara meio estranho, com tom professoral demais. No paredão ele ganhou meu respeito – e de muita, muita gente – ao dizer que era gay quando se sentiu perseguido. Se assumir na frente de quarenta milhões de pessoas, na primeira semana do Big Brother, não é para qualquer um. Outros dois brothers evidentemente gays tinham passado por aquela mesma casa se esquivando do tema.

Votei pela sua permanência várias vezes naquela primeira semana, e na seguinte. Ainda assim tinha lá meus outros favoritos, achando que ele estava querendo assumir muito cedo a liderança de seus companheiros. Mas pude reconhecer rapidamente que a liderança era dele mesmo.

Jean foi demonstrando que além de gay era um cara sensível, inteligente, culto, de bom coração e com intenções genuínas.

Por ser um gay falando da sua vida pessoal e do modo como via o mundo, passei a prestar mais atenção nele. E a partir daí fui entendendo a sua estratégia no programa: jogar limpo, abrir seu coração e manter o fascínio por aquelas pessoas tantas vezes fúteis e superficiais.

Cheguei a chorar copiosamente ao vê-lo proclamando a instalação da Era de Aquarius na casa (quando Aline, a última de suas opositoras declaradas, saiu) e que todos seriam amigos a partir daquele instante. Achei genuinamente hippie, e eu também busco ver as pessoas e o mundo dessa maneira.

Em outro momento, em meio a uma bebedeira, declarou seu sofrimento por estar sendo rejeitado pela amiga Pink, abrindo genuinamente seu coração. Já senti isso, e só consegui falar a respeito em terapia.

E o melhor de tudo é que o povo entendeu a mensagem, se identificou com ela e votou em Jean.

Falei com Xico Sá minutos depois da vitória espetacular, em conexão direta com o Bar da Dida, onde a conquista do milhão por Jean foi compartilhada com emoção. "É Copa do Mundo", comentou.

Acho que é um daqueles dias que a gente sente que alguma coisa mudou. Dessa vez pra melhor.

AMERICAN IDOL

Abril de 2008

O mais interessante dos top 12 da sétima temporada de American Idol, sexualmente falando, era David Hernandez. Digo "era" porque ele foi eliminado logo de primeira. Foi detonado pelos jurados, que disseram que ele exagerou no tom – musical, teoricamente. O apresentador disse que estava mal porque tinha tido uma semana difícil.

Na verdade ele foi frito por seu passado, revelado com estardalhaço nos tablóides e programas de fofoca. Descobriu-se que Hernandez foi *gogo boy e stripper em clubes gays*.

Isso foi suficiente para o cara – que canta melhor, dança melhor e tem mais carisma que a maioria – ser eliminado. Como se tivesse matado ou roubado alguém. Ele não poderia ser ídolo por isso? Foi realmente uma decisão do público ou da produção do programa? O cara dançou pelado, e por isso seu futuro já era? Até que ponto o que se faz em determinado momento influencia o resto da vida?

Perguntas que por enquanto ficam sem resposta.

13. NOSSA LÍNGUA

Gays têm jargões e expressões que foram se desenvolvendo ao longo da história. Muitos vêm do inglês, como a própria palavra "gay", pela forte influência da cultura pop americana na comunidade. Não à toa a maior parte dos clubes, boates e bares gays ao redor do mundo têm nomes em língua inglesa. Vale lembrar que o que hoje se chama de cultura gay nasceu do movimento gay moderno, cujo berço é os Estados Unidos. As comunidades gays de cada país desenvolvem bem-humoradas gírias ligadas a elementos das culturas locais.

No Brasil, boa parte desse vocabulário está também ligado à conexão entre travestis e a umbanda, religião que tem histórico de tolerância e não-discriminação por orientação sexual. Dessa forma, vários termos africanos acabaram sendo incorporados na linguagem cotidiana desse grupo. Esse conjunto de palavras ganhou o nome de Pajubá.

NÃO CONFUNDA

Às vezes, não é questão de semântica, mas de sobrevivência: confundir alguns termos pode provocar qüiproquós inesperados. Para evitar saias-justas, esclarecemos dúvidas sobre algumas palavras de uso comum em diferentes países e que são capazes de provocar embaraços ao viajante GLS.

24 e 41: No começo do século passado, circulou na Cidade do México uma lista com 41 nomes dos que seriam "os" homossexuais da capital, que foram perseguidos por causa da orientação sexual. A partir de então, o número passou a ser sinônimo de gay entre os mexicanos. Por aqui, o jogo do bicho nos rendeu o 24, número do veado, considerado um animal efeminado por sua graça ao caminhar e galhada imponente.

Fofa e fufa: Nossas fofas são as graciosas de ambos os sexos, termo empregado em contexto altamente carinhoso. Em Portugal, fufas equivalem a bolachas ou sapas, como preferem as lésbicas feministas.

Cachorra e bitch: Nos Estados Unidos, *bitch* significa cadela e pode ser usado para designar qualquer mulher – ou bicha – insuportável. Fuxiqueira e maldosa, além de vagabunda e puta, também são sinônimos do termo que é uma das maiores ofensas da língua inglesa. Os funkeiros cariocas consagram as cachorras como mulheres de atitude e forte apetite sexual, nem sempre com sentido pejorativo. Dependendo do contexto, pode ser um alto elogio.

Maricas e maricón: O mais popular sinônimo de homossexuais em espanhol. A versão lusa do vocábulo, no feminino e plural, também se refere a homens que pisam no tomate, mas com tom de achincalhe. Pode ser viagem, mas, para mim, um parece um gay latino decidido enquanto a outra é uma molinha despreparada.

Neca e neko: Parecem inofensivos personagens Disney, mas são palavras de baixíssimo calão. Em pajubá, neca é o nome dado ao órgão sexual masculino. No Japão, neko não é apelido de Ernesto, mas gíria usada para designar as passivonas.

PALAVRAS SÃO PALAVRAS

Uma transa é uma transa, um namoro é um namoro. Isso é fácil nomear. Mas como tratar duas pessoas do mesmo sexo que vivem juntas ou têm uma relação estável? Nem Danuza nem Aurélio fecham a questão de maneira satisfatória. Tenho cá minha opinião sobre os vocábulos mais usados.

***Namorado/a:** Sempre me pareceu a melhor opção. Não compromete e dá um tom mais leve. Mas não é meio Peter Pan continuar chamando de namorado quem compartilha a mesma cama há anos?

***Companheiro/a:** Meio petista, mas não deixa de ser politicamente correto.

***Caso:** Cafona! Vamos dar nomes aos bois: se alguém é casado e tem um relacionamento extraconjugal, isso é um caso.

***Parceiro/a:** Meio xucro mas, tendo em mente a possível aprovação da parceria civil, é o mais adequado, por uma simples questão de semântica.

***Marido/Esposa:** Alguns preferem por dar um certo ar de respeitabilidade. Mas se não for para se referir a quem mora junto vira pura bichice/sapatice.

***Amante:** Teoricamente muito bonito, já que diz respeito a alguém que se ama. Mas não há como dissociar do sinônimo de amásio/a e de certa conotação de coisa proibida.

***Cacho:** O Dicionário Michaelis não deixa dúvida. 1. Conjunto de flores ou frutos, sustentados por pecíolos e pedúnculos num eixo comum. 2. Madeixas de cabelo, dispostas em anéis, canudos ou caracóis.

PRECONCEITUOSO NÃO É SINÔNIMO DE HOMOFÓBICO

O deputado Severino Cavalcanti, ex-presidente da Câmara que teve o mandato cassado por quebra de decoro, foi um ferrenho opositor da aprovação da lei de Parceria Civil Registrada da deputada Marta Suplicy, defendendo calorosamente os valores da família tradicional e baboseiras afins.

Não há dúvida de que seja preconceituoso e retrógrado em seus discursos. O movimento homossexual e muitas pessoas comuns na rua já o acusam de homofóbico.

A meu ver, isso se configura em exagero que pode cobrar seu ônus mais à frente. Homofóbico é aquele que tem aversão a homossexuais. Lula fez uma piada sobre gays em Pelotas, o que não o torna homofóbico, embora, naquele momento, ele tenha deixado escapar preconceito.

Homofóbicos são aqueles que mataram Edson Néris, na Praça da República, é o garoto que espanca a bicha da escola, é o senador americano Jess Helms, que prega a proibição da homossexualidade em seu país. O grupo Moses e outras instituições ligadas a igrejas evangélicas que pregam a conversão de homossexuais, sob pena de queimarem no fogo do inferno, são homofóbicos.

É fundamental guardar o uso adequado dos termos para que eles não percam seu valor. Como se pode colocar no mesmo patamar um imbecil fazendo comentários em caráter privado, quase cochichando, e o grupo que faz guarda na frente de uma boate gay para espancar seus freqüentadores?

O risco é a palavra perder a força e simplesmente passar a identificar qualquer pessoa não-simpatizante.

GLOSSÁRIO

Abafar: pode ser usado de duas formas: como sinônimo de arrasar ("Cheguei linda e abafando!") ou para encerrar um assunto indesejado ("Abafa o caso.")

Abalar: arrasar, fazer algo bem ("Abalou!")

Abravanar: verbo de sentido amplo: abrir, abrir-se, energizar, extrapolar

Ai, meu edi: expressão que significa "Ai, que saco!"

Afofi: cheiro ruim

Ajeum: comida ou despacho

Alibã: policial; polícia; o carro patrulha

Aleijo: problema

Alice: bicha tola

Alôca: finaliza frases que pretendem ser bem-humoradas: "Você não é feia, é exótica, alôca!"

Amapô: mulher

Apodrecer: falar mal de algo ou alguém

Aqüendar: tomar para si: Aqüendar um sanduíche (comer); aqüendar um bofe (transar); aqüendar a conversa (escutar ou participar)

Aqué: dinheiro (por extensão, 10 aqueres = 10 reais)

Armário: enrustido. Sair do armário: assumir-se

Arrasar: fazer algo bem-feito: "Arrasa: vai lá, se joga!"

Arrombado: aquele que já fez muito sexo anal como passivo

Atender: fazer sexo com

Ativo/a: o que penetra (gays)/a que toma iniciativa (lésbicas)

Babadeira: bicha ou travesti barraqueira que gosta de dar escândalo

Babado: palavra multiuso. Sexo, drogas, encontros, comida, música, conversa. Vale também para a célebre pergunta: "Qual é o babado?", isto é, "O que está acontecendo?"

Bagaceira: de baixo nível

Bandeira: dar pinta, mostrar que é gay, desmunhecar

Bandeirosa: aquele que vive dando pinta

Barbie: gay sarado, com corpo ultratrabalhado

Barebacking: sexo anal entre homens sem preservativo

Baixar a Vovó: fazer um boquete

Banheirón: banheiro público onde rola pegação

Basfond (leia-se báfon): bagunça, confusão, baixaria, bochicho, barra-pesada

Batecabelo: house music ou Tribal House com vocais femininos, favoritos nas dublagens em shows de drag queens

Bater um bolo: masturbação

Bater bolacha: masturbação entre duas ou mais lésbicas

Baunilha: inocente, sexo do tipo papai-mamãe

Bear: ver Urso

Betty Faria: pessoa sexy, atraente

BF: Bicha Fina ou Bolacha Fina

Bi, Bee: redução de bicha

Bia: bicha feminina

Biba: bicha superfeminina

Bicudo: quem usou muita cocaína

Boa noite, Cinderela: golpe que consiste em dopar uma pessoa com sonífero e roubá-la enquanto está desacordada

Bocuda: fofoqueira

Bode: cansaço, preguiça. **Estar de Bode**: estar cansado

Bofe: homem másculo

Bofescândalo: homem gostoso

Bolacha: nome meigo para sapatão

Bombado: quem usa bomba, anabolizantes e suplementos

Bombar: tomar anabolizantes; injetar silicone

Bombadeira: quem injeta silicone industrial em travestis

Boquete: sexo oral

Caçação: ato de caçar, de fazer pegação

Caçar: procurar alguém para fazer sexo

Cacura: gay idoso

Caixa de surpresas: pênis que quando mole é pequeno, mas que cresce sem parar e surpreende no final

Caminhoneira: lésbica bem masculina

Carão: fazer carão: fazer pose, esnobar; ter carão: ser bonito

Caricata: bicha exagerada, cômica

Cheque: fezes na ponta do pênis após a penetração anal. **Passar cheque**: por extensão, algo feio, malfeito

Chuca: limpeza interna do ânus: "Para evitar o cheque, faça a chuca"

Close: dar pinta

Coió: agressão homofóbica. **Tomar um coió**: ser agredido por causa da homossexualidade

Confirmou: designa opiniões coincidentes

Colocada: alguém que abusou de drogas ou álcool

Colocón: sinônimo de álcool, drink ou produtos ilícitos

Crossdresser: homem, não necessariamente homossexual, que tem o fetiche de se vestir de mulher

Cunete: cunnilingus

Dadeira: gay que adora ser passivo

Dar a elza: roubar

Dar o truque: enganar

Dar pinta: mostrar afetação

Débora Kerr: o mesmo que Betty Faria

Desencanado: mais que simpatizante, não está nem aí

Desaqüendar: desapegar, desembaçar

Descolado: que não é tímido; expansivo e integrado a algum círculo

Derreter: drogar-se muito

Do além: pessoa, fato ou lugar estranho, chato, incompreensível

DP: dupla penetração anal

DR: discussão de relacionamento

Drama: situação trágica ou tragicômica. Própria das dramáticas

Dramática: expressão tanto de contentamento como de espanto, alegria, satisfação e tristeza

Dramatizar: fazer uma aparição bombástica

Dun-dun: negro ou muito bronzeado

Edi: ânus

Embaçado: difícil; enrolado

Equê: falso, do truque, falsificado: Loira do EQ

Equezeiro: praticante do Equê
Exótica: pessoa não-bonita, mas que chama a atenção

Farmácia de plantão: pessoa para quem basta telefonar para fazer sexo
Fazer: transar com
Fechação: dar pinta de forma escandalosa
Fechar: fazer sucesso, destacar-se
Ferver: animar; fervido: animado
Flop: a tradução direta do inglês é fracasso. Usado também como verbo (flopar)
Fisting: penetração da mão/braço no ânus
Força no picumã: o mesmo que "Vá em frente, coragem"
Frapê: pênis que não endureceu direito
Friendly: o equivalente a simpatizante

GDC: iniciais de Gay de Cabeça, pessoa com comportamento gay, mas com preferência sexual hétero

Glen Close: pessoa obcecada num relacionamento, que não dá trégua ao outro e/ou não aceita a separação

GLS: iniciais de Gays, Lésbicas e Simpatizantes. Um conceito de segmento de mercado

GLBT: iniciais de Gays, Lésbicas, Bissexuais e Transexuais. Um conceito de luta por direitos civis. Também usado nas variações **GLBTT** (incluindo Travestis) ou **LGBT** (ladies first)

Gongado: derrubado
Gongar: ato de xoxar algo, de ridicularizar
Gravação: boquete
Gulosa: sexo oral; fazer uma gulosa

Irene: gay velho

Jacira: gay bagaceiro e engraçado
Jeba: pênis grande, bem-dotado
Jogar (se jogar): cair de cabeça, entregar-se
Jogar o picumã: menosprezar ou ignorar alguém

Lasanha: homem gostoso

Lesado: quem exagerou na colocação ou está temporariamente burro

Luxuosa: expressão de aprovação para alguém bem produzido, bonito ou hype

Mágoa de Cabocla: pessoas que já foram famosas um dia, ou os que tentam, mas nunca conseguem

Mala: volume na calça, pênis. Pessoa chata

Mati: algo pequeno: neca mati (pênis pequeno)

Meda: feminino de Medo. Usado como interjeição para algo que não é agradável

Me erra!: o mesmo que "Me larga!"

Melhorada: alguém que era uó e melhorou a personalidade. Alguém feio que deu um truque na feiúra

Meu Cu!: o mesmo que "Não estou nem aí."

Michelle: garoto de programa afeminado

Milho: ferveção, fechação, bichice

Modelão: roupa bonita ou ato de montar-se

Mole (molinha): bicha afeminada

Mona: mulher ou alguém muito afeminado

Monaocó: gay bem masculino, que não dá pinta

Montação: o processo de exagerar nas roupas, para se jogar na noite

Montada: travestida, produzida

Não estar podendo: não querer, não estar a fim

Não ser obrigado/a: ter algo melhor para fazer

Neca: pênis

Ocó: homem com jeito de homem

Olá, Querida!: noitada onde você só faz o social e não se atém a conversar com ninguém

Operada: transexual que fez operação de troca de sexo

Odara: algo grande... imagine...

Otim: bebida alcoólica, drink

Panqueca: 100% passivo
Pam: passivo até a morte
Pão com ovo: gay pobre
Passada: chocada
Pegação: sexo anônimo, sem compromisso
Pencas: muito
Penosa: pessoa que não trabalha, dura
Picumã: peruca, cabelo
Poc Poc: gays novinhos e femininos
Podre: pessoa, fato ou local ruins

Quebrar louça: quando duas bichas transam
Quá-quá: bicha muito feminina

Racha, rachada: mulher, vagina
Ratoburguer: mau hálito

Sandália: a mulher da caminhoneira
Sarado: malhado, com bom corpo
Sapa: sapatão
Sapata: sapa, sapatão
Sapatão: lésbica
Sapataria: aglomeração de lésbicas

Sissi: quem "está se sentindo"

Tá boa: expressão dita quando não se acredita em uma história
Tá, meu bem: interjeição de espanto positivo
Tata: amiga que vive com o amigo gay
Tchutcho: pessoa do mal
Tia: bicha velha, tiona
Tô Lôca!: expressão que significa mau humor acompanhado de álcool ou drogas
Tô Passada: expressão de espanto

Tô bege: não acredito
Tombado: caído, sem graça
Tombar: falar mal de algo ou alguém
Trava: travesti
Truque, trucón: mentira, enganação
Tudo: algo muito bom

Urso: gay gordinho e peludo
Uó: algo ou alguém ruim, feio, desagradável, desprezível, errado, equivocado
Under: diminutivo de underground

Versátil: homossexual que gosta de ter tanto o papel de ativo como de passivo
Vuduzar: torcer para que algo dê errado

Xoxar, xoxo: denegrir, falar mal de alguém ou de algo

DIÁRIO DE BORDO

_/_

CARNAVAL GAY NA AUSTRÁLIA

Fevereiro de 1998

Um convite de última hora me trouxe para o outro lado do mundo. O que mais impressiona no Mardi Gras de Sydney não é o tamanho do evento, considerado uma das maiores festas gays do mundo, mas o apoio oficial. Prefeito, governador e primeiro-ministro fazem saudações oficiais aos turistas.

Por toda a cidade há exposições, festas, peças, filmes, workshops, gente do mundo todo.

Oxford Street, em Darlinghurst, é onde tudo acontece. Um dos bairros gays mais movimentados que já visitei. Os locais dizem que, passado o verão, tudo fica diferente – bem, bem devagar.

A Parada em si, ponto alto das comemorações, não é lá grande coisa, bem mixuruca se comparada aos carnavais brasileiros. Mas, de qualquer forma, bem mais lotada do que nossas recém-nascidas Paradas gays do Rio e São Paulo. Um dia chegamos lá.

O SEGUNDO DISTRITO

Maio de 1998

A extrema gentileza dos habitantes de Tóquio com os estrangeiros pode até fazer com que você acredite que é realmente bem-vindo. Nas ruas, bem entendido, onde a proximidade é a menor possível. Basta ir a Ni-Chôme Shinjuku, o segundo distrito do bairro de Shinjuku. No epicentro da vida gay do Japão, se resumem a dois os lugares onde ocidentais podem entrar sozinhos. Em outros dois ou três, pode entrar, se acompanhado de um japonês ou se falar o idioma com fluência. Nas outras dezenas de bares e boates, a entrada é proibida.

Mais de uma vez, entrei na sala de banho do hotel e todos se retiraram. Estranha a sensação.

O Festival de Cinema Gay de Tóquio é uma exceção, e talvez por isso mesmo reúna os estrangeiros que vivem na capital e os toquianos que gostam dos que vêm de fora. O grande sucesso, no entanto, são os modelos mestiços. Filhos de orientais com ocidentais estampam campanhas publicitárias e páginas de revistas por todos os lados. Um modelo brasileiro, que conheci quando veio ver os filmes do MixBrasil, estampa o maior outdoor que já vi, no melhor ponto de Ginza, o bairro comercial mais bacana.

CROSS COUNTRY

Junho de 1998

Uma viagem, dois festivais. Na primeira semana New Festival, o mais comercial dos festivais de cinema gay de Nova York. Visita aos amigos que acabaram de mudar, estão morando em Wall Street, bem ao lado do World Trade Center, que eles juram que vai ser o próximo hype como endereço residencial. Sei não. O Village sempre será imbatível. A noite gay começa a não ser tão divertida quanto era no começo da década, tudo ficando meio clean. Giuliani prometeu limpar a cidade, mas junto com a trasheira está indo parte da essência novaiorquina. Por sorte ainda existem lugares como o Squeeze Box, que, com seus Gogo Boys esquálidos e som radical, mantém a verve rebelde novaiorquina. Vi poucos filmes (por sorte fui com um outro programador), fiz muitos contatos.

Atravesso o país e encontro outra atmosfera. Dez dias vendo de seis a oito filmes por dia, acredite se quiser. O Festival de São Francisco, o mais tradicional do circuito de cinema gay, é ponto de encontro de programadores de todo mundo, e é onde tudo acontece. Ainda há energia para festas. Estou hospedado em um dos prédios mais tradicionais da cidade, em frente a um lindo parque (cenário de alguns famosos filmes pornô vintage e que ainda hoje é tradicional área de pegação 24 horas por dia) com vista para a baía. Dormir fica para a volta.

O Festival termina sempre após a Parada Gay, que atravessa o centro com seus blocos de manifestantes divididos por "classes". De bombeiros gays a mães de lésbicas, tudo bem comportado e organizado. A tevê transmite ao vivo e o público é equivalente à população inteira da cidade, cerca de 750 mil pessoas. No final há uma rave na frente da prefeitura, onde comi o segundo space cake da vida.

Mais animada é a Dyke March, a Parada das Bolachas, que rola na véspera à tarde. Essa, sim, um festão escrachado, carros de som com boa música e espírito underground. As meninas são maioria absoluta, muitas tiram a roupa.

Amanhã já embarco para São Paulo, para uma estadia de quatro dias antes de voltar a Los Angeles. Só o tempo de tomar pé dos negócios, pagar umas contas e ver o namorado.

GAY GAMES

Agosto de 1998

Cheguei em Amsterdã a tempo de ver a abertura do 5º Gay Games. Foi só o tempo de deixar as malas no hotel e ainda pegar a Parada Gay, que por lá acontece pelos canais das cidades. No lugar de trios, barcos animados.

Pela primeira vez em 20 anos, os Jogos Olímpicos Gays acontecem fora da América do Norte. Amsterdã recebe em grande estilo mais de 200 mil turistas e atletas que participam de 35 categorias esportivas, e uma série de eventos culturais paralelos.

Os gays muitas vezes são acusados de certo exagero segregacionista quando o assunto é diversão. Se visto por outro ângulo, muitos heterossexuais radicais deixam de aproveitar o melhor que a noite tem a oferecer pelo simples receio de serem confundidos com homossexuais.

Com isso, muitos gays acabam tendo um convívio social mais intenso entre gays, sobretudo em grandes centros urbanos, onde compõem uma expressiva porcentagem da população. Tecnicamente, esses tipos de grupos são os chamados "segmentos de mercado", e eventos especiais patrocinados por grandes corporações acabam sendo organizados por e para eles.

Quem quiser aproveitar um dia de verão entre rapazes e moças atléticos entregues à prática de esportes pode acompanhar as três possibilidades de duplas na patinação no gelo, a primeira bateria de finais de natação ou as competições de squash, ping-pong e tênis.

Um grupo de atores organizou os bem-humorados Jogos Paralelos, onde os esportes mais populares são corrida de salto e arremesso de bolsa. No meio de tanta militância e orgulho gay, nada como uma boa dose de bom humor.

SM LUSITANO

Setembro de 1998

Vim a Lisboa para apresentar curtas brasileiros no Festival de Cinema gay lisboeta, que por sinal é dirigido por um brasileiro. Sessões com bastante gente, mas não o suficiente para lotar o cinema gigante – e longe de tudo.

Impressionante é o Centro Comunitário Gay. Nem é tão grande, mas é bastante organizado e subverte a idéia que temos no Brasil de que os portugueses são mais conservadores.

O diretor do Centro é um gajo muito bem, com cara de galã de novela. Estive com ele na casa do diretor do Festival, que exibe uma interessante coleção de cuecas em potes de vidro, lembranças de homens memoráveis que passaram por lá. Os dois são representantes da comunidade leather e mostraram as roupas de dominadores em couro que vão usar na festa de encerramento do evento em um clube do Bairro Alto, conhecido por seus shows. Aliás, difícil imaginar algo mais engraçado do que drags portuguesas.

TEDDY BEAR

Fevereiro de 1999

Frio de matar, neve até o joelho. Ainda assim, é preciso acordar às oito da manhã para andar até a estação de metrô e encarar meia hora até o Palácio da Berlinale, onde acontece a première diária às nove da matina. Isso tudo depois de virar a noite em festas ótimas. Essa é a rotina de um jurado do Festival de Berlim, como eu. O poderoso crachá abre portas em toda a cidade. São cerca de oito sessões diárias em vários pontos da cidade. E depois voltar a Kreuzberg, onde estou hospedado.

Ontem o diretor Rosa Von Praunheim fez um sneak preview do filme novo dele, mais uma esquisitice erótica bem-humorada. Na saída, levei de brinde um modelo que está em vários outdoors da cidade. A cerimônia de entrega de prêmios do Teddy Bear, o Oscar do cinema gay, é a principal festa de todo o festival e tem transmissão ao vivo pela tevê. Minha chance de aparecer.

MACARRONADA NOSSA DE CADA DIA

Abril de 1999

Estou começando a gostar dessa vida de jurado. Dessa vez estou no Festival de Cinema Gay de Turim, que é conhecido como "De Sodoma a Hollywood", sabe-se lá por quê. A cidade é rica, tem um centro interessante, mas é meio desprovida de charme. A cena gay, então... Ribeirão Preto tem mais opções. Só há dois clubes, que abrem apenas sexta e sábado, e ainda assim não valem muito a pena. O Festival fez uma festa em uma sauna, teoricamente a melhor do norte da Itália; mas era pequena e não havia nada de especial.

Quase todos os filmes são dublados em italiano por dois intérpretes que se revezam na cabine, fazendo todas as vozes. Hilário. Só não entendo como preferem isso à legendagem eletrônica. Dizem que os espectadores não estão habituados a ler legendas.

O ponto alto do evento são os encontros diários na hora do almoço, todo dia, sempre na mesma cantina. Todo staff é parte da mesma família, e parecem se divertir muito com a pequena multidão de bichas gringas que lotam seu estabelecimento durante uma semana inteira. Uma gritaria típica italiana. A comida nem é lá essas coisas, mas vale o social.

S DE SUSPEITO

Maio de 2000

Tornei-me assíduo freqüentador de um lounge chamado Liquid, nos fundos de uma galeria subterrânea no centro de Hannover. A principal atração é sua minúscula pista, que reúne durante a semana os melhores DJs de música eletrônica da Alemanha, revezando-se para um público de amigos que dança até o sol nascer. Apesar de não estar listado em nenhum dos guias gays da cidade, acreditei tratar-se de um bar GLS – até porque os homens são maioria absoluta. O que me intrigou, no entanto, foi o fato de noite após noite nunca ter visto sequer um beijo, seja entre homens, entre as poucas garotas ou no tradicional menino-menina. Após desenvolver alguma intimidade, perguntei a um grupo de belos se no final das contas aquele era um ambiente gay, hétero, bi ou assexuado. Unanimemente responderam que isso não importava, e a música era o que contava. Pouco acostumado a esse tipo de indecisão, insisti, querendo saber qual seria a orientação sexual deles. Todos responderam ser heterossexuais, mesmo fazendo questão de dizer que não eram straight. E pareceram ser bem sinceros.

Tudo é muito bonito na teoria, mas na prática parece ser um tanto nebuloso. Difícil imaginar no Brasil um lugar assim. Acho que somos mais pão-pão-queijo-queijo. Ainda que existam vários clubes em São Paulo que não possam ser rotulados como exclusivamente gays ou héteros, e em todos a paquera seja perceptível em cada metro quadrado. E geralmente em poucos minutos dá para saber se o cara que está sorrindo para você está flertando ou só viajando na bala.

Apesar de nosso desastroso atraso social, é visível nosso avanço na experiência sexual, e é por aí o que temos a ensinar ao mundo.

NAS COLINAS DE HOLLYWOOD

Julho de 2000

Estou em Hollywood mais uma vez, dessa vez participando da primeira conferência mundial de festivais de cinema gay e lésbico. O evento é patrocinado pela Paramount Pictures e acontece paralelo ao OutFest, o Los Angeles Gay and Lesbian Film Festival, cujo orçamento, superior a US$ 1 milhão, é proveniente de empresas, doações de particulares e venda de ingressos. São mais de duzentos filmes de todo o planeta, incluindo o Brasil.

A cidade inaugurou recentemente a sede social do Centro Comunitário Gay e Lésbico, uma pequena Disneylândia para quem está se assumindo, com bares, bibliotecas, cinema, salas de leituras e dezenas de atividades semanais.

Sua área, somada à da sede administrativa, é maior do que o atual prédio da Prefeitura de São Paulo. E olha que Los Angeles é tida como uma cidade conservadora.

Não dá para importar esse modelo para um país pobre como o Brasil, mas é para pensar em como a falta de articulação dos brasileiros, somada ao preconceito e cegueira do empresariado nacional, atrasa o desenvolvimento da nossa comunidade. Isso sem falar na covardia do governo.

Assisti a um depoimento do presidente Clinton, que é membro da Igreja Batista, sobre a importância do fim do preconceito.

Enquanto isso, Fernando Henrique continua a evitar opiniões sobre o tema. Afinal, ele é contra ou a favor dos direitos civis dos homossexuais?

Perdoe o tom ativista que tanto evito. Na verdade estou me divertindo bastante, mas ao sentar para escrever na bela mansão em que estou hospedado, com vista para o famoso letreiro na colina, foi impossível deixar de traçar paralelos com a situação brasileira e ficar frustrado ao ver as oportunidades que perdemos no Brasil, por simples preguiça e covardia.

POSEI NU

Setembro de 2001

Está nas bancas a edição de setembro da revista *TPM*, em que os leitores poderão ver este que vos escreve peladão. A proposta da revista faz referência à exposição pública de idéias e sentimentos nos espaços onde escrevo. Senti-me lisonjeado pelo título debochado dado ao retrato, "Inútil Paisagem", lembrando que a publicação é dirigida basicamente ao público feminino heterossexual.

Quando Madonna decidiu posar nua no livro Sex, entendi a necessidade d'A artista de registrar a boa forma de seu corpo nu se aproximando da maturidade. Seguro de mim, resolvi topar a parada de um nu frontal.

Optamos por uma imagem crua, em fundo infinito branco com luz branca chapada e sem maquiagem, clicada por Rafael Assef. Resumindo, risco total. A idéia era posar sem mãos ou objetos na frente.

Até chegar ao estúdio estava tranqüilíssimo. Mas na hora de tirar a roupa, quase amarelei. No final, fiquei bastante satisfeito com o resultado, e ficamos entre uma versão "artística" e outra bem mais explícita.

No entanto, a idéia de ver minha genitália desnuda ocupando uma página inteira me deu um frio na espinha.

Principalmente ao mostrar as fotos para amigos e constatar que unanimemente, independentemente de sexo ou orientação sexual, a primeira coisa que todos olhavam era justamente lá. Pensar em ouvir considerações sobre um detalhe de minha anatomia pareceu um pouco demais. Para evitar futuras paranóias, acabei optando pela mais discretinha. Valeu a experiência e o registro.

Depois dessa, respeito muito mais os modelos que mantêm o sangue-frio ao se exporem dessa maneira.

NOITADA COM ASTRO PORNÔ

Junho de 2002

Estou em Miami, apresentando curtas do *Mix Brasil* no Festival de Cinema Brasileiro. Mesmo sendo uma viagem de trabalho, sempre dá para aproveitar um pouco da noite local. A convite do Eric Sanders, responsável pelo marketing da poderosa White Party, fui ontem ao BFissimo Martini. Uma noite exclusiva que acontece toda terça-feira em um lugar diferente de South Beach. Quem está na lista recebe um e-mail na segunda, sabendo onde vai acontecer. Essa semana foi no lindíssimo lounge bar de um hotel na Collins, bem ao lado do meu hotel. Música boa, gente linda (90% de freqüência masculina), iluminação correta. Tudo de bom, apesar da cerveja a US$ 6,00 mais gorjeta.

No meio desse povo, vi uma cara que me pareceu familiar. Um tipo baixinho, de cabelo esquisito, com uma calça mechupa, engraçadinho mas não exatamente bonito. Um amigo me disse ser Jeff Palmer, o astro pornô do momento. Venho acompanhando a meteórica carreira dele (por questões jornalísticas, logicamente) como modelo, ator, diretor, produtor e cantor e, na semana passada, li na Porn que ele ia estrelar sua primeira produção barebacking. Ontem pude entender o porquê da hiperatividade produtiva desse astro argentino.

O rapaz, que não tem mais do que 1,65 m e é tido como "versátil", é um verdadeiro furacão. Na meia hora em que fiquei observando de perto, ele agarrou um brasileiro, passou para um grupo de três, entrou no meio de um casal, voltou para o brasileiro, foi para outro grupo de três, que lhe abaixou a calça, fazendo ver o famosíssimo traseiro (realmente um fenômeno), se embolou com um sósia do Jean Claude Bernardet e se esfregou mais uma vez no primeiro casal. Entre uma passagem e outra, agarrava a bunda de quem estivesse no caminho. Uma verdadeira coreografia, que mr. Palmer executa com incrível maestria. E tudo isso, faço questão de lembrar, num ambiente ultrafino, onde até os selinhos eram raros. Ele era a alegria da festa. No final da noite (a festa acaba antes da 1h), foi carregado drogadérrimo por outros dois.

Torço para que fossem seus amigos, mas parecia que a coisa ali ainda ia render muito.

Consegui entender por que ele está fazendo filmes de sexo nada seguro, na minha opinião uma demonstração de baixa auto-estima que beira a loucura. É natural que alguém com um furor uterino tão incrível necessite sempre ultrapassar limites. Posso parecer um pouco moralista, mas não há como deixar de antever um final trágico para alguém tão acelerado. A impressão que passa é que não tem nenhum tipo de freio e exerce a função de catalisador dos desejos escondidos do mundo. No final das contas, uma experiência muito mais sociológica (ou psiquiátrica) do que erótica.

NEVASCA EM NOVA YORK

Fevereiro de 2003

O frio glacial lá fora, o clima de romance e o dólar a R$ 3,70 me tornaram um ser caseiro. Uma mudança grande em minha rotina, já que em São Paulo, e mesmo em outras cidades, costumo me jogar bem mais na noite.

Como jurado do festival de cinema latino-americano de Nova York tenho visto uma média de três filmes por dia. Talvez a baixa qualidade do que tenho assistido esteja também influenciando minha vontade de dormir. Ou então é o aquecimento de casa contra o gelo das ruas. Geralmente, quando viajo, sinto falta das pequenas coisas do dia-a-dia, como ir ao supermercado e à academia. Viajo muito, e minha lua em Câncer se ressente desses elementos domésticos.

Ontem fiz dois programinhas bem interessantes depois do cinema.

Primeiro, a festa da revista K48, que concentrou um casting de meninos lindos, todos da linha new dirty, tendência forte por aqui. Uma coisa jogada e bem solta.

Fui também ao Piano's ver o show das meninas do Crème Blush. Um lugar bem diferente de tudo que conheço em São Paulo. A cena electro, em Sampa ao menos, é basicamente gay – mesmo que não o seja explicitamente. Esse lugar, ao contrário, era essencialmente heterossexual e, arriscaria dizer, careta. Mas os shows todos eram bem radicais do ponto de vista estético.

Hoje é Valentine's Day, o Dia dos Namorados. Ano passado estava bem feliz e bem acompanhado nessa data, também aqui nos EUA. Lua de mel total, com direito a almoço romântico em Sausalito e vista para São Francisco. Já o Dia dos Namorados em si, na data em que é comemorado no Brasil, fiz questão de pular. Seria a primeira vez em quase vinte anos (a primeira vez na vida praticamente) que passaria solteiro. Felizmente estiquei uma estada em Miami para poder passar batido pelo clima de corações apaixonados. Este ano novamente estou bem posicionado.

Será que vou ter sorte melhor no doze de junho no Brasil? Minha agenda até agora me coloca em São Paulo nessa efeméride.

Estou completamente mobilizado em relação à loucura belicista de Bush. Tenho pena dos amigos americanos e brasileiros que vivem por aqui. É tão evidente que a coisa vai desandar. Sábado vou à manifestação contra guerra.

DÁ PRA CONCILIAR FERVO E ROMANCE?

Março de 2003

Estou voltando do carnaval carioca, ainda meio na ressaca – apesar de não ter bebido nem enfiado o pé na jaca. Pouco saí, e passei batido pelas megafestas que todos insistiam em dizer que estavam incríveis (como já disse a Palomino, a melhor festa é aquela que você não foi). Deviam estar mesmo, mas não trocaria o sol nascendo na piscina em boa companhia nem pelo melhor DJ gringo do mundo. Dei lá minha passadinha rápida pela Banda de Ipanema. Agradeço aos que mostraram entusiasmo apalpando meu short. Quem vai à banda tem que se molhar, e acaba sendo impossível evitar sungas justas no meio daquela multidão de homens seminus.

O Rio nunca esteve tão cheio de turistas, a Farme virou atração para gringos e para nativos em busca deles. Os amigos cariocas da gema partiram para outras freguesias, em frente ao coqueirão, entre o 9 e Garcia. E o melhor horário para socializar seguramente é depois do pôr-do-sol.

Foram dias de romance, experimentando uma tranqüilidade e desfrutando de uma reciprocidade que cheguei a temer não ser mais possível. Faz toda diferença do mundo abrir a guarda com alguém querido. Já estava quase esquecendo como era relaxar totalmente em companhia de quem não teme demonstrar sentimentos.

Sinto uma mudança em meu comportamento, uma reserva maior de meus sentimentos.

Engraçado que na temporada que passei solteiro (uau, admiti que estou namorando) não tive muita dificuldade em externar pontos extremamente pessoais de maneira bem aberta – tomando, é claro, o cuidado de não citar nomes. Para bom entendedor era fácil decifrar de quem e para quem estava falando. A nova cumplicidade que está sendo construída me torna mais cuidadoso, já que falar de mim significa expor fatos que envolvem mais alguém.

Não quero assumir compromissos, me comprometer com nada a que não possa corresponder integralmente. É natural que surjam as expectativas, e acho que fugir dessas oportunidades que nos são oferecidas é se render ao medo de evoluir.

O que importa de verdade é que hoje me sinto tranqüilo e quase pleno.

Mas não respondo pelo dia de amanhã.

REFLEXÕES BUZIANAS

Outubro de 2003

Foi preciso ficar em um quarto de hotel sem televisão e cair uma garoinha na cidade para conseguir deitar às dez da noite. Nem pensei em ler: enxerguei a incrível possibilidade de dormir dez horas como oportunidade única que não poderia ser desperdiçada.

Perdi mais uma vez *Sex and the City* e o programa novo das meninas do *02 Neurônio* no GNT por uma boa causa. Estou me sentindo refeito, depois de um finde no Recife dormindo sempre depois do café da manhã. Vi o sol gritando nas matinas de Boa Viagem, Gucci cumpriu honrosamente seu papel defendendo meus olhos e disfarçando as olheiras. Não podia dispensar a tapioca de coalho e coco antes de me jogar nos braços de Morfeu. Nada melhor do que um café pernambucano para aplacar a larica.

Ainda está meio complicado esquecer o ombro assado. O FPS 30 não foi suficiente para bloquear os raios solares. Como o tempo anda meio nublado aqui em Búzios, não preciso nem me sentir tentado a largar a redação *d'O Peru Molhado*, de onde estou trabalhando esses dias. Engraçado como reproduzo minha rotina diária de trabalho em qualquer lugar do mundo. Seja em Sydney ou em Garanhuns, sempre tenho que escrever notas e textos pelas manhãs, checar os e-mails diários (mais de trezentos sempre) até o almoço, e a tarde fica para reuniões, outros textos e tal.

No fim da tarde, uma paradinha para lanche, depois trabalhar mais, e no começo da noite (lá pelas 21h, 22h) exercício físico – seja ele musculação, caminhada ou sexo. Felizmente sempre sobra um tempinho para atividades extracurriculares.

É engraçado como necessito desses compromissos para pontuar meu dia. Tem gente que odeia rotina; eu fico meio perdido sem o que considero parâmetros. Sinto como se fossem as migalhas de pão que deixo no caminho. Só que às vezes passarinhos se encarregam de comê-las, e preciso encontrar sozinho o caminho de casa.

Até mesmo em minhas relações pareço muito conservador. Bem entendido que não estou falando de sexo, onde busco sempre a criatividade e novidades para manter a coisa quente.

Acabo preferindo namoros e casamentos sem sobressaltos, onde tudo está sempre muito claro e definido. O único problema é que não escolho sozinho o rumo dos relacionamentos, e acabo ficando meio embananado quando tenho que administrar mudanças de percurso.

LOURO, MORENO, NEGRO, ORIENTAL...

Novembro de 2003

Passei a noite de ontem em Sapopemba (bairro a duas horas de carro do escritório do Mix), visitando a última escola do projeto Mix Jovem, discutindo em sala de aula questões sobre a diversidade sexual. Como sempre os alunos abordaram a questão das religiões, o fato de crianças verem casais gays se beijando e uma possível origem genética para a homossexualidade.

O psicólogo Cláudio Picazio informou à turma que estudos recentes indicam a possibilidade de que genes determinem o desejo sexual. Essa hipótese sempre me incomoda, pois sugere que seja possível uma manipulação genética para erradicar essa orientação.

Se é genético ou não, eu pessoalmente não vejo muita diferença entre gostar de homem ou gostar de chocolate. Eu não gosto de chocolate; sou minoria, eu sei, mas é algo que não me incomoda nem incomoda ninguém. Gostar de homens deveria ser encarado da mesma maneira, visto que é simplesmente o modo como expresso meu desejo. Mas não é bem assim que funciona.

Lá no fundo da sala, um grupo expressava sua homofobia dizendo que gays deveriam ser metralhados. Não consigo imaginar outra explicação para alguém pensar e agir assim, além de uma puta dificuldade de encarar seus desejos ocultos: todo homofóbico não passa de uma bicha enrustida.

Sobre a questão da determinação genética do desejo sexual, imagino que podemos ir mais a fundo.

Eu, por exemplo, tenho meu desejo bastante definido por tipos mediterrâneos, sejam eles com tons de pele branquíssimos ou mais morenos. Podem ser tipos variados: espanhóis, italianos, franceses, gregos, libaneses, árabes, turcos ou judeus. Mas sempre com cabelos e olhos escuros.

Minhas experiências com louros, ruivos, negros ou orientais foram ótimas, mas pontuais. Mais para ninguém dizer que não tentei.

Fico pensando se teria sido algum gene que determinou minha orientação sexual. Meu avô, o velho Fischer, teve três mulheres, todas morenas. Estaria no sangue alemão essa atração? Ou é uma coisa de pele mesmo? Se for pele, então pode ser genética, pois minha pele reagiria melhor a tipos trigueiros.

Sou daqueles que acham mais fácil ter um foco. Prefiro eliminar de cara um mundo de alternativas e ir direto ao assunto.

Sei do que gosto. A essa altura do campeonato não preciso mais ficar ciscando por aí.

DIÁRIO DE VERÃO

Dezembro de 2003

Começou de vez a temporada. Depois de uns dias meio chuvosos, o sol apareceu de vez no finde e já beira os quarenta graus. O ritmo alto verão já se instalou. Encontro de amigos no Coqueirão, uma volta na feira hippie, piscinada na Casuarina.

Acho que ainda não surgiu a onda do verão, a não ser pelos rapazes vestindo números. Acho que vou montar uma mega-sena com os melhores do dia: o incrível casal 92 e 26, o 3 moreno que andava sozinho na Farme, o 5 da festa de ontem, o 54 gringo em frente da Laura Alvim e o 18 do bem na varanda do Via 7.

O tal Nova não colou, e hoje inaugura a boate em cima do Bofetada. Sei não. Acho que vai ser mais um verão de Dama mesmo.

O Natural colocou ar-condicionado lá no fundo, e os melhores corpos de todas as partes do mundo continuam desfilando por lá. Imperdível. E nem é pelo strogonoff de glúten ou pela bacalhoada.

A ida à Lapa atrás do DJ Marlboro foi o mega flop: a noite foi cancelada às duas da manhã por falta de quórum. Bem que os cariocas faziam uma cara de estranhamento quando dizia que ia lá. "Programa de índio" e "É só hype do Hermano Viana", foi o que ouvi várias vezes. Ao que parece, Marlboro só cola mesmo nos bailes funk lá longe. Deveria ter ido à Grande Rio ou Mangueira, mas fica para o sábado que vem. Tem todo o verão pela frente. Acabei indo filar uma BL na festa do Ronaldo no 00. Poucas celebridades, é preciso dizer, o que frustrou os paparazzi. E sem querer cuspir no prato em que comi, e bem, outro mega flop.

No verão carioca me divirto com tudo – ou quase tudo. Teve o maior engarrafamento do século em volta da árvore da Lagoa ontem à noite.

Hoje, encarei uma Uruguaiana com 37 graus à sombra. Pelo menos mandei ver uma empadinha de goiabada com queijo, meu atual vício, no metrô. Vou já para a praia. Tomara que dê tempo de pegar o Senhor dos Anéis no Leblon. Depois, choppinho e chill in (que os gringos insistem em chamar de warm up por falta de conhecimento de Brazilian English).

Amanhã preciso encontrar um tempo para concentrar para a festa na Fundição. E encontrar uma academia...

DANDO MOLE

Fevereiro de 2004

Já tinha ido muitas vezes a Floripa, mas nunca no carnaval. Felizmente optamos pela Barra da Lagoa com nossas bikes, para fugir dos monstruosos engarrafamentos na Lagoa da Conceição. Eles teriam sido um desafio ao bom humor e encantamento que mantivemos durante todos os dias de folia. Folia, na verdade, é um certo exagero. Mantivemos (já percebeu que estou escrevendo sempre no plural...) uma onda mais cool, apesar das idas à praia Mole. Engraçadas as experiências distintas nas diferentes praias que visitamos.

A Mole em determinados momentos lembrava uma versão pobrinha das festas em Geribá, durante o Finde GLS de Búzios. Decidi não reclamar mais da música depois que vi um mala dando ataque por causa do axé. "Isso aqui não é a Bahia! Toca Drag Hits!", gritava descontrolado o paulista. Olha, prefiro axé dez vezes à house de três anos atrás que entrou em seu lugar. Mas não fui à Mole pelo som. Bacana ver um casting bem misturado: bonitos/feios, gordos/magros, finas/pobrinhas, coroas/franguinhos. Todos unidos pela aqüendação. Depois que o sol se põe – e de zilhões de caipirinhas consumidas – é formado um fluxo contínuo em direção à trilha no meio do mato. Experiência básica de sacanagem que todo homem solteiro deve viver.

Meio como na antiga Babilônia, onde toda mulher deveria se prostituir pelo menos uma vez na vida no templo da deusa Ishtar. Um amigo de adolescência dizia sempre que "tudo é uma experiência", o que virou quase um lema para mim.

Anyway, o que parece demais é repetir a mesma cena cinco tardes na praia, depois chafurdar quatro noites no mesmo baile apertado. Cada um, cada um. Se estivesse na carência total e com o facho aceso, não posso dizer que não faria o mesmo.

Deprê mesmo era uma drag gaúcha horrorosa que repetia bordões sem graça, do tipo "veado gosta é de caraaaaalho". Antigo, pobre e desnecessário. Fui embora quando vi que aquilo era um caminho sem volta.

Em determinados momentos, achei que formava um dos únicos casais da praia. A Mole é para solteiros. Com mais liberdade, mas para casais não muito diferente de Moçambique. A praia, quase deserta, é a mais linda da ilha. As poucas pessoas que estavam lá eram, ou pareciam, héteros. Como não sou de demonstrações públicas de afeto, não havia constrangimento nem fazia muita diferença. Só não tinha caipirinha.

Imbatível é a Guarda do Embaú. Gente linda às pencas. Héteros, mas nada caretas. A configuração geográfica – para chegar à praia é preciso atravessar um rio a pé – demanda tipos mais sarados. Laricas incríveis são servidas em bibocas simpáticas. Um amigo, depois de três dias vendo aqueles surfistas todos, ficou louco e teve que se mandar pra Floripa, cair de cabeça na Concorde para poder se aliviar, ter seu dia de puta da Babilônia.

Definitivamente um mesmo lugar em uma mesma ocasião pode ser vivenciado de maneiras muito distintas.

FESTAS E FILMES NO CIRCUITO EUROSTAR

Abril de 2004

Depois de quase uma semana em Londres, esse será meu primeiro dia com tempo livre. Tenho passado até doze horas por dia enfurnado no cinema, vendo filmes, vídeos, longas e curtas. Social rolou pouco. Como vi poucos filmes que tenham me entusiasmado até agora, evito contato com os realizadores.

Fiquei superentusiasmado ao conhecer a Barbara Hammer, um ícone da cinematografia lésbica. Combinei de ver o filme dela no dia seguinte, louco para gostar e poder convidá-la para o Festival. Mas não deu. Uma chatice sem fim sobre artistas judeus perseguidos na Segunda Guerra. Tive que fugir antes do fim. Foi bom que aproveitei para ver a exposição do Roy Lichtenstein ali do lado, em Southbank.

O filme que mais bateu foi *Goldfish Memory*, um libelo pansexual irlandês sobre a necessidade-quase-vício que os humanos têm de se apaixonar. Identificação total.

Engraçado como me sinto mais seguro envolvido emocionalmente. Sinto quase fisicamente um escudo protetor à minha volta, me tirando de enrascadas. E em um festival de cinema gay elas aparecem às pencas. Acabo ficando com certa preguiça para encarar possíveis roubadas.

Vi um documentário sobre o Nick Name, roqueiro punk gay americano, símbolo sexual completo. Ele estava na festinha do Mix que rolou ontem. Bebeu a caipirinha que eu preparei...

Sábado tem show do Scissor Sisters, e domingo a tal festa na igreja que parece que é tudo. Prometo a mim mesmo que vou.

A quebra de rotina sempre me deixa um pouco perdido. Mantenho o hábito de levantar por volta das 9h, ir para a internet. Mas com o fuso isso não faz muito sentido. E lá vou eu no meio da noite checar mensagens num mega cyber café de Charing Cross.

O mais engraçado foi verificar que não adianta viajar pensando em se afastar de questões da vida cotidiana. Achava que, vindo para Londres, além de ver filmes ia poder também ver tudo de longe e ter clareza para dar os próximos passos, sobretudo profissionais. Mas até a vida na ponte aérea estou reproduzindo aqui.

Vou tocar numa festa em um clube brasileiro em Paris, na sexta. Pego o Eurostar no final da tarde, toco lá e sábado de manhã já volto direto para ver filmes. Tá certo, eu disse que ia parar de tocar. Mas quem resiste a um convite desses?

Paris foi a cidade que escolhi para me refugiar no final da adolescência, quando abandonei meus estudos, trabalho e virei dark (termo usado na época para designar uma tribo que hoje estaria entre o gótico e o electrorock com uma pitada punk-de-butique). A escolha foi natural. O francês foi meu primeiro idioma, e desde muito cedo vinha à França com meus pais nas férias de julho. Em Paris me sinto em casa, como no Rio ou em São Paulo.

A única coisa estranha são os teclados dos computadores, inexplicavelmente diferentes dos do resto do Ocidente.

Acabo de chegar de um jantar na casa de um casal de amigos arquitetos que vivem num studio micro mas totalmente "design", no quinto andar sem escada. Aquela deliciosa sucessão de pequenos pratos entre conversas sobre os problemas sociais da França e troca de receitas. Na saída demos uma rodada na noite. Tudo meio devagar, Paris não é Sampa.

Hoje fez frio, mas o dia estava lindo. O apartamento novo de meu amigo Alain tem uma linda vista para os telhados de Paris, com pôr-do-sol dourado enquadrado pela Torre Eiffel, Tour de Montparnasse e Saint Paul. Ao chegar em casa, estaciono a Vespa na Bastilha. Decretei o fim da pobreza operária a que me submeti em Londres, e amanhã vai ser dia de Colette e APC. Noites electro quinta, sexta e sábado, Soirée Funk Rock no novo Kong de Stark. Almoço com amigos no Palais de Tokyo, exposição de arte digital na Gare de l'Est.

Futilidade, sim, mas acho que é uma parte importante da existência.

MINHA VIDA DE BAIANO

Junho de 2004

Cheguei em Sampa em mais um dia frio depois de um finde bem simpático na Bahia. Dia da mais pura e cansativa administração de pepinos, desde a preparação para a Parada, repercussão meio retumbante de um artigo na *Revista da Folha* deste domingo e atraso na entrada no ar do site novo. Além de tudo isso, quase setecentos e-mails me esperavam com um monte de urgências. Será que para virar gente grande é mesmo preciso tanto trampo?

Agora são 22h, ainda estou no escritório, morto de cansaço. Pela minha frente ainda três sociais: festinha da Luana Piovani, inauguração da casa nova do Angelo e show da verafisher, a banda.

Fui a Salvador com objetivo de tocar na festa Pride e depois participar da Parada Gay, mas com direito a uma prainha no meio. Como ainda mantenho o objetivo de perder a marca da sunga, o mergulho no Porto da Barra acabou acontecendo à noite. Acabei fazendo programas pouco variados, mas que me deram a certeza de que meus prazeres são os mesmos onde quer que esteja.

Acabei baixando na Off duas vezes, na sexta, saí cedo justamente quando estava lotando. Voltei no domingo, depois da Parada, para ver a casa mais tranqüila, mas com um som bem mais cool, diferente da gritaria de divas anterior.

Bacana o povo de lá, cheio de homens bonitos. Mas os mesmos nos dois dias, na praia e na Parada. Um amigo soteropolitano se queixa da preguiça imensa de ver as mesmas caras sempre. Achava exagero, agora o entendo um pouco mais.

Apesar do pedido dos organizadores da festa para que eu não comesse comida baiana e evitasse o risco de um piriri na hora de tocar, almocei com novos amigos na Dadá de Patamares. À noite, outra maratona culinária, que incluiu um papo hilário com a Dadá, na cozinha dela, e um pulo no japa SoHo para a enésima caipirinha do dia. Dois quilos mais gordo e tendo que chupar a barriga para manter (ou tentar manter) a linha, me dirigi ao trabalho.

No dia seguinte, um sucesso estrondoso mesmo depois do chuvaréu. No começo achei que a Parada ia micar. Dividi guarda-chuva com amigos e insisti em não subir logo para os carros, rodando na rua para sentir o clima. Mott se mostrava tranqüilo, mas meio receoso de seis trios elétricos serem um certo exagero. Mas não foi.

Fiquei impressionado com o bom comportamento da multidão. Ao contrário do que esperaria de um carnaval soteropolitano, tudo muito organizado e bem comportado. Folia pura, com um nível de aqüendação bem baixo se comparado à Parada de Sampa.

Dureza foi voltar cedo e ir para o aeroporto com a praia gritando.

COMO DESENVOLVER AUTOCONFIANÇA NOS ANDES

Julho de 2004

Depois da temporada de paradas gays, nada como um bom programinha careta para refrescar a cabeça. O destino que escolhi foi Valle Nevado. Há mais de dois anos não fazia snowboard, estava na hora de desenferrujar.

Santiago surpreendeu pelo tamanho e riqueza. Uma Buenos Aires mais rica, mais triste e careta. Saí para fazer um reconhecimento da área. Terça à noite é difícil em qualquer lugar do mundo. Fomos aos lugares óbvios, Bella Vista (um Bexiga mais bem produzido mas ainda mais careta) e Suécia, uma armadilha para turistas maurícios.

Na volta a pé para o hotel vi umas travas, e perto delas um grupinho de gays. Decidi segui-los. Acabei baixando num barzinho lindo, meio Ritz, meio Confeitaria Colombo. Um tal de Liguria. Foi um alívio ter a certeza de que, mesmo em um lugar sem referência nenhuma, é possível cair na boa. Basta seguir os instintos. Ou um grupinho de gays modernos.

Estradinha difícil a dos Andes. Na volta, seguramente vou mandar ver um Dramin.

Hoje me joguei montanha abaixo, primeiro na baby mountain. Chato ficar descendo e subindo o tempo todo. A graça de descer uma montanha nevada é justamente sentir a radicalidade do esporte, vento na cara, tentar manobras...

Resolvi me arriscar mais. Subi até o alto da montanha e me joguei. Ia tomando os tombos, levantando e prosseguindo. Acho que a vida é meio assim. É preciso se jogar, acreditar. Ganho confiança e desenvolvo velocidade.

Como a neve está meio baixa, tomei um tombaço na lama em uma pista meio abandonada. Mais uma lição. É pra se jogar, mas com cuidado. Uma placa no lifting diz "use pistas do seu nível". Acreditei demais. Ainda torto, fui fazer umas aulinhas de alongamento e abdominal. Os brasileiros são maioria por aqui. Portanto, a aula na academia foi com uma barbie carioca ao som de Tati Quebra-barraco.

MONTREAL: TOLERÂNCIA, INTELIGÊNCIA E AQÜENDAÇÃO

Setembro de 2004

Semaninha bem bacana em Montreal, linda. O clima de total segurança e da mais completa tolerância torna Montreal ainda mais especial. Imagino que o clima amistoso tenha sido reforçado pelo fato de o verão proporcionar dias maravilhosos.

Por mais que eles digam que um frio de trinta graus negativos é absolutamente suportável, ninguém me tira da cabeça que deva ser um horror. Se fosse tão tranqüilo, não teriam construído uma cidade subterrânea, cheia de lojas, serviços e restaurantes.

Montreal tem, além de um belo centro à americana, parques muitíssimo bem cuidados e o charmosérrimo Plateau, uma versão mais espaçosa e arborizada da arquitetura de São Francisco, um dos maiores bairros gays que já conheci. Charmoso, com comércio vibrante e até uma estação de metrô decorada com as cores do arco-íris.

Vale mencionar ainda que o consumo de maconha e haxixe é mais visível nas ruas, boates e restaurantes do que em Amsterdã.

Gente linda, bem vestida, com pele e cabelos bem cuidados em todo canto.

No Village, o bairro gay, os clubes são todos de entrada gratuita, mas muito caretas. A cena SM é fortíssima, e há vários clubes de strippers. Sensacional a trilha sonora e atitude dos garotos peladões. Já imaginou strip com *Karma Police* do Radiohead? Pois eu vi!!!

Estive numa noite electro, que faz ainda bastante sucesso em Montreal, com Tiga tocando e show dos Martini Bros. Sou fã de todos, mas fiquei chocado com o grau de heterossexualidade da festa. Tipo 70% ou mais.

Vim a convite da organização dos OutGames, os Jogos Olímpicos que acontecerão em agosto de 2006. Fui conhecer as instalações (o Estádio Olímpico construído para as Olimpíadas de 1976), entrevistei o presidente dos Jogos, estive na prefeitura e vi o apoio que o prefeito está dando. Ele mesmo afirmou que esse apoio independe de partido político. E fiquei amiguinho do fofo do Mark Tewksbury...

A justificativa dos locais para o clima tão simpatizante é que os franceses, pelo fato de terem sido uma minoria-maioria oprimida pelos ingleses, tenderiam a estar do lado dos mais fracos.

Só que os brasileiros não poderiam ser um povo mais fodido, e nem por isso esse apoio a minorias é tido como automático em nossa cultura. Acho que é uma questão de educação mesmo. Os québecois são ricos como os norte-americanos, mas pensam que são franceses. Isso os torna europeus com ainda mais consciência política, generosos e respeitando ao extremo as individualidades.

NO SET DE UM FILME PORNÔ

Abril de 2005

Apesar de trabalhar no segmento gay há mais de dez anos, nunca tive maiores contatos com o lado pornô desse mercado. O Mix produz e publica ensaios e fotonovelas eróticas há anos, trabalhei na G nos primeiros anos e nunca presenciei ao vivo a realização de uma sessão de sexo encenada.

Já assisti a vários documentários sobre a indústria pornô gay americana, mas tudo ficava no teórico.

Faltava em minha vida, tão rica de vivências, justamente essa experiência básica.

Essa semana, com a desculpa de conhecer melhor o trabalho de um novo parceiro, fui assistir às gravações de uma produção em andamento.

Já imaginava que as coisas rolassem do jeito que rolam, mas não sabia qual seria minha reação naquele meio. Nervosismo, excitação incontrolável, travação.

Convidei um amigo, fã do gênero, para poder trocar impressões.

A filmagem acontecia em um apartamento do Centrão que funciona como privê, uma casa onde profissionais do sexo (note os termos politicamente corretos) recebem seus clientes. Aliás, eles estavam na cozinha enquanto a gravação rolava nos outros cômodos, e quando cheguei ficaram em dúvida se eu era um cliente ou vinha para a filmagem.

Cheguei bem no início de uma cena de trio, estrelada por Alan, Pernambuco e Victor. Alan já conhecia de outros filmes. Ele tem um escorpião tatuado em seu membro. Alguém pode imaginar o que deve ser tatuar aquilo lá? Eu fiquei com essa imagem na cabeça. Já haviam me dito que no vídeo tudo parece menor, mas achava que era lorota. Pude constatar que realmente é verdade. O ator não tem seu famoso talento integralmente favorecido pelas câmeras.

Passei duas horas no set, e Alan passou o tempo inteiro excitado. E me garantiram que não tomou Viagra. Para se manter de pé durante toda a gravação e as dezenas de interrupções, ele usa revistas de sacanagem só com mulheres. Acredite se quiser.

Pernambuco, normalmente passivo em seus trabalhos anteriores, estava determinado a fazer cenas como ativo, e a equipe resolveu aproveitar a animação. Azar – ou sorte – do estreante Victor, que teve que agüentar a vivacidade de seus dois parceiros. Como ele era o passivo convicto e não conseguia se excitar, não lhe restou alternativa. Haja xilocaína.

As posições variavam a cada cinco minutos, quando os atores se cansavam, estourava uma camisinha ou simplesmente – usando agora termos nada politicamente corretos – o pau escapava do cu. Os experientes Alan e Pernambuco queriam fazer uma DP (dupla penetração) no calouro, que, no entanto, arregou.

Depois de tanto tempo se excitando, fazendo sexo, posando para fotos de divulgação (em uma delas, Pernambuco estava batendo papo normalmente e, a pedido do fotógrafo, abocanhou o colega, posando rapidamente, e voltou depois a conversar com total naturalidade), os rapazes tiveram alguma dificuldade para completar a cena – ou seja, gozar. Etapa necessária para que a equipe pudesse passar à produção da cena seguinte. Depois de quase meia hora esperando o gozo vir, eu desisti de acompanhar o gran finale e fui embora.

Mundo bizarro, o da indústria pornô.

Na saída, meu amigo revelou que ficou excitado no susto, pela alta carga de erotismo da cena que víamos (um sanduíche com penetração numa ponta e sexo oral na outra), mas que a chama não durou nem dois minutos. A incessante movimentação na frente e atrás das câmeras, além da banalização completa do ato sexual com suas inúmeras interrupções pela busca do melhor ângulo, o deixaram sem o menor tesão.

Depois de cinco minutos, era como se estivéssemos nas filmagens de uma produção qualquer, igual a tantas outras de comerciais, curtas e longas-metragens que já presenciei e em que já trabalhei.

Como consumidores de pornôs, concordamos que o melhor mesmo é ficar na fantasia de que aquilo tudo acontece como assistimos nos vídeos: editado.

Em quinze minutos, só o melhor de quatro horas de literal ralação.

A vida deveria ser assim também, editada.

DO BOLDRÓ AO RITZ

Agosto de 2005

Depois de passar uma semana no paraíso de Fernando de Noronha, convivendo com tartarugas, arraias e peixes ornamentais, eis-me de volta à realidade.

Pela primeira vez em mais de oito anos passei sete dias inteiros sem checar e-mail; nem celular pegava. Desconectado do mundo, só vendo palestras no Tamar, fazendo trilhas, mergulhando, passando protetor fator trinta quatro vezes por dia e namorando muito. Cachorro, Meio, Conceição, Boldró, Americano, Bode, Quixaba, Cacimba do Padre, Porcos e Sancho. Uma coisa do Leme ao Pontal, versão paraíso.

A ilha tem um quê afrodisíaco. Mas leve seu namorado: não há a mais remota possibilidade de paquera, gay pelo menos, por lá.

Para voltar à vida comum, caí já de cabeça na festa de dez anos d'A Loca. Nada melhor para pôr o pé no cotidiano enlouquecido de Sampa.

A noite foi diferente das outras. Para começar, não havia vagas nas ruas próximas. Algo raro, pois o público d'A Loca vai mesmo é de metrô. Portanto, muitos convidados especiais, gente que não via há muito tempo. Estranho a quantidade de pessoas que disseram que ando sumido. Talvez ande mesmo sumido dos lugares de sempre. Há dez anos eu era um clubber assumido, figura fácil na noite. Hoje saio bem menos.

Bonitinhos, povo da Lenha, roqueirinhos das matinês de domingo abarrotavam o lugar a ponto de não dar nem para andar.

É bom ter lugares que sobrevivem aos modismos, onde podemos bater ponto com o passar dos anos. Ter aquela sensação quase como de se estar em casa. O Ritz, por exemplo. Nem vou mais com tanta freqüência, mas é bom saber que ele está lá.

OUT IN AFRICA

Setembro de 2005

Mesmo querendo ficar quieto, o chamamento para uma esticadinha rápida em Cape Town, viagem de jabá, foi mais forte.

Não foi a primeira vez na cidade. Viajar a alguns lugares ditos de terceiro mundo implica em um choque na volta. Não é de surpreender o contraste de Paris ou Montreal com a sujeira e pobreza das cidades brasileiras. Dureza é ver uma cidade africana batendo em civilização e cuidado nossas capitais.

O bairro gay de Waterkrant se sofisticou desde a última vez que estive lá. Não digo nem em termos da noite. Nesse quesito, pelo menos, ganhamos de dez a zero. Os clubes e bares são bem cafoninhas e sem maiores apelos.

Preferi curtir outros lados. Muito shopping, aproveitando o fato de a África do Sul ser bem mais barata, e a busca de programas alternativos. Correr atrás de pingüins, focas e babuínos já tinha feito. Dessa vez batemos perna atrás dos sabores, cheiros e fumaças locais...

Não nos furtamos também de passar tempo em um cyber café gostosinho e com boa música, fazer um tour pelas Delis com os temperos exóticos típicos de uma cozinha que mistura elementos europeus, africanos e asiáticos. Muito filé de avestruz, muito mango chutney, muitas pimentas estranhas. E ainda cair de queixo no melhor hot dog do planeta, o festejado Mohamad, em Long St. Lá se foi de vez meu vegetarianismo.

Descobrimos lugares fofos na rua mais turística da cidade, que de gay tem apenas um restaurantezinho lindo, o Royale.

Engraçada também a experiência de passar uma luazinha-de-mel em grupo. Nunca tinha feito nada assim, temia um pouco. Mas até que funcionou.

BOLLYWOOD, BOMBAIM GAY, BANHO NO GANGES E O FALO DE SHIVA

Fevereiro de 2006

Na Índia, nem mesmo a busca espiritual é capaz de atenuar a busca mundana do consumo. Vizinho aos templos de Shree Mukteshwar Deavayz e do maravilhoso Centro Hare Krishna (que ando freqüentando diariamente) fica o novo shopping de Juhu, nosso bairro em Bombaim, cujos comerciantes já são amigos. Anteontem foi dia de compras hardcore no templo do consumo: Nike, Levis, Mac e eletrônicos por menos da metade do preço, impossível resistir.

No Mercado de Lamad (que hoje entra em greve em protesto contra as prostitutas que estão invadindo o local), comprei roupas "étnicas" maravilhosas, costumes completos em puro algodão elegantérrimos, confortabilíssimos, pelo preço de uma Hering. Vamos ver se vou ter peito para usar.

Ontem foi dia de ir a Ganeshpuri, conhecer o *ashram* de Siddha Yoga e os templos de Nitiyananda. Saímos às três da manhã para chegar a tempo nos cantos da cinco da matina, seguidos de meditações e mais cantos. A sensação foi de missão cumprida. Difícil comparar a generosidade dos pequenos templos instalados nas casas dos *saddhus* e a gentileza de monges em outros pequenos templos com a paranóia que os americanos instalaram no *ashram* Siddha Yoga, onde não é possível ver nada e até registro com foto e número de passaporte é exigido para se meditar. Uma pena.

Em uma pequena cidadezinha ao lado de Ganeshpuri, visitamos outros templos e suas famosas águas quentes. Nunca em minha vida vi tamanha miséria, mas fomos tratados de maneira emocionante. *Saddhus* oferecendo *prasads* (pequenos doces como presente, vindos das estátuas dos deuses), forçando-nos a esquecer qualquer neurose por limpeza. Descalço boa parte do tempo, meus pés pisaram locais sagrados sem a preocupação com bactérias.

No templo das Devis, vi um *hijra* (homens que se vestem com saris e vivem como mulheres) que era a mulher mais elegante do local.

Tenho usado o trem para ir ao centro, bem mais rápido que os inacreditáveis engarrafamentos locais. Não há como sair de casa sem passar pelo menos duas horas no trânsito absolutamente caótico.

Fomos a Bollywood, onde trabalhei como figurante em um filme de ação e aproveitei para entrevistar a equipe e conhecer Uday Chopra e Hrithik Roshan, dois dos mais queridinhos da nova geração de atores-cantores-modelos.

Escrevo em um bazar beeeem sujinho, no terceiro andar de uma tapera no centrão, com conexão lentíssima...

Na volta de Filming City – a sede dos estúdios –, fui a um templo lindíssimo, com seis andares dedicados a várias divindades e pessoas santas.

Como ninguém é de ferro, à noite fomos a uma boate, ao som de pop indiano, com direito a uma versão Bollywood de *Dont' Cha*. Como tudo fecha à 1h30, os engarrafamentos nesse horário são enormes, e é o horário ideal para ver a juventude local. Difícil reconhecer quem é gay. Por via das dúvidas, hoje fomos assistir a uma palestra sobre direitos gays na faculdade de direito. Muito pouca gente, mas pelo menos rolou convite para uma festinha mais tarde, em Santa Cruz, de um jornalista da Time Out local e seu namorado. Vamos ver no que vai dar...

Na volta do centro, passamos pelo templo de Mahalaxmi, a deusa da bem-aventurança espiritual e material. Um vilarejo, cheio de lojinhas, em estilo medieval hindu, onde é preciso atravessar uma rua inteira sem sapatos. Cantei a Lashmi, fiz oferendas. Na saída, deu para ver a fila de leprosos com olhares de desespero na entrada da mesquita vizinha.

Fomos ao cinema, um espetáculo à parte. Uma sala imensa, cuja sessão começa com o hino da Índia, e todos levantam.

Depois fomos à tal festa gay. Seguimos a dica de nossos amigos – sim, já temos quilos de amigos, coisa mais fácil é socializar – e fomos de trem. Às 23h30 pegamos o trem, lotadérrimo, para o centro. Na primeira classe ao menos havia lugar para sentar no trem sujíssimo. O nome da boate não poderia ser mais apropriado: Karma. É lá que acontece a noite gay local, a única do sul da Índia, duas vezes por mês, às terças-feiras.

A entrada custa 500 rupias (R$ 25,00, uma fortuna para os padrões locais). Havia uns 150 caras e quatro meninas (duas ocidentais amigas moderninhas e duas bolachas indianas). O som era pop indiano, todos acompanhando as letras em hindi. Nada de iluminação. O DJ errou feio duas vezes, parou a música, pediu desculpas e continuou. Meu amigo R. diz que os moços parecem odaliscas dançando, talvez influência dos filmes musicais de Bollywood, todos coreografados.

O povo era bem feinho, exceção a uma meia dúzia de meio-bonitinhos e um príncipe encantado, mas que estava bem apaixonado, aos beijos com o namorado monstrinho. Aliás, foi a primeira vez que vi pessoas se beijando.

Nunca imaginei que minha tatuagem na nuca com o mantra Ohm Namah Shivaya escrito em sânscrito faria tanto sucesso. As pessoas me param na rua, repetem o mantra, se aproximam. Na boate, então, sucesso total. Saí com a agenda do celular cheia de telefones. Como todos os outros lugares daqui, fechou à 1h30. Uma lei de um governo ultraconservador dos anos 1990 determinou que tudo fechasse nesse horário. O governo caiu, mas a lei não. Na saída, fomos convidados para uma festinha. Nosso carona ouvia Mutantes no carro, e não sabia que eram brasileiros. Chegamos a casa de um publicitário, diretor de arte que recebia um grupinho bacana, incluindo as duas meninas ocidentais da Karma. Um loft novaiorquino maravilhoso. Por fora o prédio parecia uma favela. Aliás, a cidade, incrível, simpática, apaixonante, é um imenso favelão, mesmo as áreas mais nobres. Baladinha terminou já era quase de manhã.

As pessoas são muito carinhosas, se tocam muito. Na rua o tempo todo há homens caminhando de mãos dadas, amigos falando e mexendo na orelha um do outro. A comida é um dos tantos pontos fortes da viagem. O café da manhã já começa apimentado, mas nenhum efeito colateral até agora...

Noite passada foi Shivaratri, e fomos para Haridwar para ver o *arati* especial que fazem no ponto onde Shiva criou o Ganges com seu tridente. Uma energia fortíssima. Não-hindus eram proibidos de entrar no *ghat*, onde é feita a cerimônia, até poucos anos atrás. Na chegada meus bravos companheiros de jornada pela primeira vez deram uma rateada. A viagem realmente foi bem estafante, sete horas em uma estrada perigosíssima. Como eu havia tomado uma pasta *ayurvedica* no café, estava numa boa. Bom para segurar a onda deles, que queriam desistir. Pudera. Na chegada o carro foi cercado por mulheres carregando najas. Achei folclórico, mas quem já está pilhado fica com medo. Sugeri meio Frontal para cada um, e o clima descontraiu.

Na chegada, a visão de milhares de pessoas se banhando, no meio de templos, todos seminus, com uma estátua de Shiva do tamanho do Cristo Redentor, desmontou o clima de apreensão.

Rodamos as ruazinhas fazendo mais comprinhas trash até a hora da cerimônia. Muito impressionante. Assistimos a meia hora de preces, sinos e fogos juntos. Um festival de cores inesquecível.

Depois viemos para Rishkesh; acho que é meu lugar favorito na Índia. Os Beatles estiveram aqui nos anos 1960. Uma coisa meio Mauá, rio no meio das montanhas. Só que o rio é o Ganges, e a montanha, os Himalaias. Muitos centros de yoga, *ashrams*, templos, livrarias e ocidentais como em nenhuma outra parte do país até agora.

Depois do jantar, fui rodar os templos da cidade, abertos a noite toda para cantos. O mais impressionante foi um templo onde o povo cantava muito excitado em torno de um *lingham* de três metros. Sabe o que é um *lingham*? Uma representação do falo penetrando a vagina. Cantei e bati cabeça para Shiva, em forma de um pirocão de três metros.

Decidi passar o dia sozinho. A primeira vez em silêncio por horas em quase um mês. Fiz meu banho no rio em uma praia de areia branca na água gelada e cristalina do Ganges. É dito que esse banho apaga maus carmas de dez encarnações. Momento lindo demais, especial, para a vida toda.

NOITE DE KATHMANDU

Março de 2006

O clima do Nepal é mais cool do que na Índia, não há tanta encheção de saco de pedintes (a não ser os *saddhus* pentelhos) e é menor a buzinação, apesar de Kathmandu ser absurdamente poluída e poeirenta. Por vezes não é possível enxergar o fim da quadra, tamanha a quantidade de pó.

Nosso hotel é um cinco-estrelas bem razoável no bairro "fino" de Lazimpat. Fica a quinze minutos a pé de Thamel, o bairro mais ocidental e apinhado de doidões. Reunião de bichos-grilos e trekkers do mundo todo, japoneses e japonesas jovenzinhos aos milhares. E tudo, tudo mesmo, sendo oferecido o tempo todo na rua.

A cidade é mais ocidental (crianças uniformizadas de terno, roupas mais americanas), muito friendly.

Os homens são mais bonitos e bem vestidos que na Índia, embora as mulheres sejam menos coloridas e vistosas. O povo é uma mistura bonita de hindus e tibetanos, olhares muito doces. Ainda são vistos homens passeando de mãos dadas pelas ruas.

Estou sem celular, não há a onipresença das operadoras como na Índia. Os preços ainda menores. A assinatura de cabo, com 45 canais (incluindo tevê russa) sai por 200 rúpias por mês, ou R$ 7,00.

Fazem sacrifícios de animais por toda parte. Amanhã vou a Tirkipur ver uma sessão grande de sacrifícios de animais de todos os portes, sempre machos.

O povo mistura livremente budismo e hinduísmo: em templos budistas há ganeshs e shivas, nos hinduístas a onipresença do Buda. Shiva lingans (os tais pirocões) com imagens de buda. Adorei o mix.

A ida ao templo dos mil budas e a mega *stupa* de Boddha são capítulos à parte, emoções fortes. E a maravilhosa Tapan, que rendeu as visões mais alucinantes da viagem até agora (incluindo as ratazanas na estátua de buda no esplendoroso templo dourado).

Em Bashupati acompanhamos a cremação de um senhor, o drama da mulher e dos filhos ali, exposto no *ghat* para uma arquibancada lotada. Outros corpos estavam queimando quando chegamos. Na saída, uma passada na vilinha onde moram dezenas de *saddhus*, vários deles vestindo apenas as cinzas dos corpos cremados ali do lado.

Heavy metal.

Depois de duas noites lesando no hotel, nos jogamos na noite de Thamel.

A chegada foi por Tridevi, onde ficam as travestis vestidas de saris e punjabis, todas meio adolescentes. Vi pelo menos umas vinte, que nos abordaram com gentileza. Algumas prostitutas e michês também marcavam presença.

Eram dez da noite e o bairro já estava às escuras.

Começamos pelo Buddha-Bar, o mais ok de todos, mistura de ocidentais e locais, ótimo mojito, almofadas confortáveis, decoração bacana, japas fumando ópio no canto.

Depois rodamos pelos outros poucos bares abertos (sempre ruas escuras), um cyber bar cheio de manos. Uma paradinha em uma sanduicheria simpática (uma taperinha com dois irmãos servindo, onde conhecemos uns locais) e depois uma ida final ao Fire Club, cheio de patrícias e maurícios transadinhos, dançando black music. Não sei se falei, hip-hop indiano é bem bom e os ídolos de Bollywood são deuses aqui também.

PRIMEIRA COMUNHÃO

Agosto de 2006

Ontem à noite, tive uma experiência muito distante do que esperava ao vir para Montreal para os OutGames, os Jogos Olímpicos Gays.

Fiz minha primeira comunhão.

Explico como cheguei lá.

Sabe o reverendo Gene Robinson, aquele que se assumiu gay e quase causou um cisma na Igreja Anglicana quando foi eleito Bispo de New Hampshire? Ele realizou uma missa com o bispo de Montreal na Catedral, muito apropriadamente chamada OutMass, e eu fui lá ver o que ele tinha a dizer.

Fiquei impressionado ao chegar e ver a igreja decorada com bandeiras do arco-íris e uma pequena procissão com reverendos, reverendas (uma, inclusive, com cabelo azul) e capelões levando um estandarte do arco-íris que ficou no altar. Inimaginável algo assim em uma Catedral Católica.

Depois da introdução do Bispo de Montreal e de um belo canto do coral, veio a homilia do Bispo Robinson. Ele começou fazendo piadas sobre o calor incrível dentro da igreja (disse que ninguém sofria com o bafo mais do que ele e o bispo, por conta da batina). Toda a sua fala, quando se referia a "nós, gays e lésbicas", versava sobre preconceito, aceitação, sempre emocionado e com muito humor.

Anunciou más e boas notícias: as más eram que as coisas não vão mudar logo, principalmente na Igreja. As boas é que elas vão mudar com certeza, e que é certo que um dia gays e lésbicas serão incluídos, da mesma maneira que foram negros e mulheres. Lembrou ainda que devemos amar aqueles que nos odeiam, entender seus medos. Disse que nos dias de hoje é mais difícil um religioso se assumir para um gay do que um gay para um religioso, lembrando que Deus precisa do nosso testemunho.

Ao final, foi aplaudidíssimo.

Os belos cantos, o contato pessoal com outros fiéis através dos votos de paz e apertos de mão, em uma igreja repleta de gays e lésbicas, me tocaram profundamente.

Ao final, no momento da comunhão, vários casais gays se dirigiram ao altar de mãos dadas. No programa distribuído havia uma menção de que todos os cristãos batizados eram convidados.

Cheguei a ser batizado na Igreja Católica – meus pais aceitaram fazê-lo para não criar problemas com meus avós paternos, mas já não eram mais católicos, e por isso nunca cheguei a fazer o catecismo e a primeira comunhão.

Recentemente, minha irmã abraçou a fé católica e fez sua primeira comunhão.

Senti que era um momento especial, fazer minha primeira comunhão em uma missa assumida, com um bispo cujo trabalho acompanho há anos e admiro. Recebi a comunhão, cantei em inglês e me senti muito bem.

BOGOTÁ, ZONA ROSA

Janeiro de 2007

Mais uma viagenzinha bacana, uma semaninha para comemorar os 30 anos do namorado. Dessa vez escolhemos a dobradinha Bogota-Caribe, para queimar milhas. Um pulo para ver se Curaçau eh azul mesmo. Nesse momento estou em um cyber cafe e nao descobri ainda onde ficam os acentos no teclado.

Como chegamos aa noite, começamos nos hospedando em um hotel no centro financeiro, lugar pobre e desprovido de charme.

Ontem mesmo fomos a um restaurante superbacana, romantico, comida *fusion thai com criolla*, e decidimos mudar pela manha para Zona Rosa. A vizinhança eh riquissima, sobretudo em volta do Parque de la 93. Cafes, lojas de design, praças, parques e predios com apartamentos incriveis.

No Brasil nao ha bairro residencial parecido. O que mais se assemelha eh Palermo em Buenos Aires, mas aqui eh ainda mais chique, mas com menos gente bonita. Quase 24 horas batendo perna e soh vimos dois moços interessantes saindo de uma loja moderna.

A cidade eh bem facil de andar, apesar dos engarrafamentos. Basta seguir a numeracao das ruas. A temperatura esta na casa dos dezoito graus, mas todo mundo na rua parece estar vestido como se estivesse mais frio...

Hoje aa noite vamos ao bairrinho gay de Chapinero, vamos ver o que rola.

Se terca-feira tiver movimento, eh porque a coisa pega de verdade...

Voltamos e nada por lah. Aqui do lado havia uns dois bares gays, com gente bonita, mas fecharam bem cedo.

SEA, SUN, SEX, SAMBA

Fevereiro de 2007

O título – versão da música do cantor francês Serge Gainsbourg – é para sinalizar um fim de semana bem animado no Rio pré-Carnaval. Fui para duas reuniões de trabalho e consegui fazer render apenas uma, já que na outra tiveram a cara-de-pau de remarcar o ponto de encontro para a banda Simpatia, Quase Amor. Acredito na informalidade carioca; fiz a primeira reunião de bermuda e sandália, o que não impediu que fosse produtiva. Agora, marcar um encontro de trabalho para a concentração de uma banda acho meio demais. Não sei se já apaulistei de vez, mas me senti quase ofendido e dei o perdido no empresário folião.

Dia lindo de morrer, ainda deu para pegar praia. Fui encontrar um casal amigo na Farme. Fazia muito tempo que nem dava aquela passadinha para checar a freqüência. Não vi muita diferença do que sempre foi, simpático e acolhedoramente gay, mas prefiro mesmo o Coqueirão – e ainda ando me bandeando mais pros lados do Caesar Park.

Como o sol agora está se pondo atrás do Dois Irmãos, a saída da praia não rola antes das 20h, hora que passa a banda. Fui dar uma olhada; o começo estava bem família, muita gente bonita que não se abalou nem com os dois tiros que rolaram na esquina da Garcia D'Avila.

O esquenta para o samba foi na casa de amigos que assinam o pay-per-view do Big Brother, e ficamos vidrados na festinha da casa.

De lá para a quadra da Unidos da Tijuca. Já tinham dito que essa era a escola gay da vez, mas não achei que fosse tanto. Na quadra, mais de 80% do público era formado por homens gays dos mais variados tipos: afetados, machos, bonitos, feios, musculosos, modernos, todos com camisa apesar do calor africano. E nada de beijos. Aqüendação forte, mas discreta. O samba-enredo é ótimo, rende uma boa coreografia, e vou torcer pela Tijuca mais uma vez.

NÃO FALOU, NÃO ACONTECEU

Março de 2007

Semana passada estive durante três dias em Curitiba, a convite da ABGLT, participando da elaboração do planejamento estratégico da instituição para o próximo triênio. Interessante pensar sobre onde se quer chegar e como fazê-lo no médio prazo.

Acho linda a idéia de viver um dia de cada vez, mas na prática isso só funciona até o final da adolescência. Ninguém chega a lugar nenhum se não tiver noção pelo menos de qual objetivo quer atingir.

Andamos por aqui sempre matutando muito sobre os rumos do Mix.

Será que esse planejamento também é possível na vida pessoal? Em casa fica um pouco mais complicado ter esse distanciamento, já que as variáveis são maiores e os comprometimentos, menores. No final das contas tudo depende do que você quer e de como interage com as pessoas à sua volta.

Mais fácil pensar como empresa, dividir responsabilidades e resultados – algo que não posso fazer comigo mesmo.

Por conta dessas e de outras, voltei à terapia para tentar esclarecer alguns pontos, verbalizar o que não chego a formular nem em pensamento. Sou adepto confesso do "não falou, não aconteceu". Pode valer para o convívio social, mas acaba criando uma série de teias de aranha sobre coisas que mereceriam alguma elaboração.

Será que não passa de uma estratégia de avestruz?

PUSSY PING PONG

Maio de 2007

Como a cena gay de Bangkok é agitada mas bem deprimente (honrosa exceção feita à luxuosa Babylon, tida como a maior do mundo e realmente incrível), foi fácil pôr o foco em programas mais turísticos. A viagem não seria completa sem massagens (fiz três) e sem o famoso show das bucetas poderosas. Pois bem, fomos atrás delas. Encontramos um buraco, e por 500 bahts (cerca de R$ 30,00) vimos aquilo tudo que se pode imaginar.

Impressionante o que elas fazem com suas perseguidas.

Começou com duas mocinhas no palco apitando. Uma emitia um apitinho meio fraco, a outra bem estridente.

Depois uma moça, a cara da Preta Gil, tirou 68 flores fluorescentes de dentro dela, enquanto dançava Cranberries. Achei muito poético, aplaudimos horrores. Ela voltou três minutos depois e disparou bolinhas de ping pong dentro de um copo. O poder.

Nada se compara ao auge do show, quando uma garota pequenininha disparou dardos contra enormes balões vermelhos, acertando com precisão um por um.

Ela convidou minha amiga a segurar um deles, a uns três metros de distância, e acertou na mira. In-crí-vel.

No final, foi mais divertido do que as boates gays que visitei nos últimos dias. Tudo muito previsível, e um pouco decadente ver gringos velhos fazendo tanto sucesso com as bichas novas mais molinhas e feinhas. Exceção só na sauna, tida como a maior do mundo. Um sucesso, tudo para todos os gostos mesmo.

Acabo de chegar ao hotel para checar os e-mails – são 2h30 aqui, 16h30 no Brasil, hora de pegar o povo trabalhando no escritório.

FUNDAMENTO DO SACRIFÍCIO

Junho de 2007

Passei o dia hoje em Macau. Uma hora de barco de Hong Kong e chega-se a um outro país, de verdade.

A chegada é dramática: cassinos gigantescos lotados de chineses, uma Vegas ainda mais cafona, e subdesenvolvida. O centro é patrimônio mundial: bem bonito, mas é Lisboa na China. Se você conhece Lisboa, é uma miniatura do Chiado.

Comi um bacalhau meia-boca em um restaurante português.

Nossa língua está nas placas, nos nomes das ruas, mas só ocidentais falam. Nenhum chinês entendia nem "obrigado".

Interessantíssimos são os becos do comércio local. Trash de tudo, um visual louquíssimo, chinês pobre com elementos portugueses. Fui a um chá de anciãos chineses, coisa mais característica que vi até agora, um conjunto tocando música tradicional chinesa, com uma senhorinha cantando e outra declamando. De arrepiar.

Na onda religiosa, entrei na igreja de Santo Antônio e fiz promessa.

Aliás, incrível como a missa na igreja de Santo Domingo estava cheia às 14h, dia de semana. O padre, ocidental, falava chinês.

Entrei por engano em um puteiro cheio de meninas bonitas supermaquiadas aguardando fregueses. Quis fazer foto, mas acabou a bateria da câmera.

Na volta, peguei um barco para Kowloon, para Hong Kong ia demorar muito. Fim de semana, tudo lotado. Esqueci a bateria com carregador no barco. Desde que cheguei, estou com a sensação de que perdi ou vou perder algo. Acho que entendi o princípio dos sacrifícios. Você expia em alguma coisa o sentimento de perda latente. Aí, quando acontece, dá um certo alívio. Dessa vez foram a bateria e o carregador. Comprei imediatamente novos, custaram quase R$ 200,00. Mas pelo menos acho que mais nada de ruim vai acontecer.

E teve um lado Polyana. Acabei pegando o Star Ferry novamente e, ao chegar no terminal marítimo, uma surpresa: uma tal Sinfonia de luzes, dos dois lados da baía. Todos os prédios, dezenas de torres de setenta, oitenta, noventa andares e todas iluminadas, sincronizadas com a música. Uma coisa alucinante.

Subi as escadas rolantes até a parte de cima do Soho. É como subir o morro da Rocinha de escadas rolantes. Contei dezessete ruas que ela corta. Impressionante.

Agora vou pra noite, que ninguém é de ferro. Espero que o Volume e Propaganda, os dois highlights da noite gay de Hong Kong, rolem hoje...

EL TIEMPO NO PARA

Setembro de 2007

Estou de saída para o estádio em Nuñez para ver a final do Mundial de Futebol Gay, entre argentinos e ingleses. Só uma notinha sobre a noite de ontem...

Interessante a onda do mercado gay argentino. Sem dúvida há opções que não há no Brasil, como restaurantes gays, vinherias gays e todo tipo de serviço regular gay. Há revistas de distribuição gratuita, guias e jornais gays mais bem editados que no Brasil. Há um monte de sites de informação gay. Ligas de futebol e rugby gays. Eles têm união civil. Ainda assim acham que há muito mais preconceito que no Brasil, e consideram um mercado gay local muito difícil...

Comer sozinho é a parte mais estranha de viajar só; é algo que não me é muito confortável. Passei pelo Chueca, um restaurante gay metido a fino em Palermo Soho, mas não consegui entrar. Acabei no Andy, outro restaurante gay vizinho mais simpático, comi direitinho. Depois fui à Casa Brandon, encontrei vários conhecidos, vi alguns shows de bolachas roqueiras e, lá pelas 3h, resolvi ir ao Palacio Alsina, o clubão gay daqui, onde havia a festa das semifinais da Copa Gay. Valeu ter ido, mais para ver a arquitetura, o minishowzinho temático de drags e gogos sobre futebol, mas não consegui ficar nem os meus 40 minutos regulamentares para boates chatas. Música boba e, para minha total surpresa, praticamente não havia homens bonitos. Onde estavam aqueles milhares de *chongazos facheros* que vi o dia todo na rua?

Imagino que no Kim y Novak, o bar moderno, vai ser diferente. Engraçado que não está em nenhum guia gay. Será que eles pediram para não entrar, como o Ritz e o Mestiço fazem em Sampa?

TECKTONIK

Dezembro de 2007

Viagem de surpresa sempre é mais bacana, principalmente quando dá certo.

Estamos em um apezinho ultracharmoso na Rue de Seine, em Saint Germain de Près, com uma cozinha boa, e já rolou jantar feito com compras do mercado + boulangerie. O BHV Homme é uma decepção: em pleno Marais, abrir uma loja de departamento masculina... tinha tudo para rolar. Mas é uma cafonalha.

O ponto alto da programação noturna foi, de longe, a noite Tecktonik do Mixclub. Lembrou demais os tempos de Piscine nos anos 1980, templo dark d'Étoile. Uma das melhores pistas que já vi até hoje, mais de mil pessoas conectadas na música mesmo, dançando coreografias *inacreditáveis*, em um clube lindo, energia lá em cima. Rodinhas de meninos e meninas lindinhos d.e.m.o.r.r.e.r, cabelos à manga.

E sabe que levei quatro dias para pegar o primeiro guia gay? Outra onda mesmo...

BIG FAT DICK

Janeiro de 2008

A festinha oficial do concurso *Mr. Gay*, cuja final mundial estou cobrindo e trazendo o candidato brasileiro, estava bem chatinha. Um lugar enorme, cheio de adolescentes e pós-adolescentes, com DJ que errava todas as mixagens e tocava sucessos de Madonna, BEP e Beyoncé de 2006. Pelo menos a maioria era gay.

Não dei conta e saí de lá pouco depois das onze, já que estava seis horas fora do fuso, e nada ali me interessava. Como era no Santa Monica Blvd, o mesmo em que fica o hotel, bastava atravessar umas duas milhas.

No meio do caminho, vi uma fila em frente a um bar chamado Fubar, cheia de modernos. Havia visto em Paris um bar com o mesmo nome e, mesmo cansado, resolvi parar e dar uma checada, por uma questão jornalística, digamos.

Chegando lá, vi algo que dificilmente algum dia vai ser visto no Brasil.

O cartaz na entrada avisava que a noite se chamava Big Fat Dick. Assim como quase todos os lugares, não se paga para entrar. A cerveja custa 6 dólares, mais 1 dólar de gorjeta. Civilizado.

Um bar pequeno, bem menor que o lounge do Vegas, lotado com umas quatrocentas pessoas. A música superbacana, um deep house fino, gogo boys superdotados dançando pelados, pornôs gays vintage projetados nas paredes e monitores. O DJ/promoter falava putaria o tempo todo, incitando o público a participar do concurso para eleger a melhor foto de "partes íntimas". Imagens de paus, alguns peitos, que eram impressos ali na hora, colocados em um varal no meio do clube com pregadores.

Havia garotas, povo de todas as idades e tipos. E o clima, acredite, não era de putaria. Mesmo. Uma coisa cool, usando pornografia como tema. Adorei, acabei ficando até 1h. O povo ainda chegava, mesmo sabendo que às 2h, assim como todos os bares, ia fechar.

Se morasse aqui, freqüentaria.

Quando acho que estou começando a perder o saco para noite, vejo uma coisa assim e sinto aquele frisson.

ICH BIN EIN BERLINER

Junho de 2008

Estou em Berlim no melhor ponto do Mitte, quase Prenzlauer Berg. Encontrei o Alex Fleming, entrevistei o diretor da Siegessäule, a principal revista gay alemã, e o diretor da Parada daqui, que faz 30 anos (a Parada, não o diretor, que deve ter bem mais).

Em viagem, cada dia parece uma semana. Encontrei no Panorama, tido como o melhor clube da cidade, Ricardo e Abelha, que estão comemorando dez anos de casados. O lugar é bacana, instalado em uma usina abandonada, mas, pra ser sincero, a balada em si não é nada demais. Provavelmente eu era o único não-colocado, por isso não consegui deixar de notar a imensa quantidade de patricinhas e caretas metidos a modernos. Vários bonitinhos, é verdade. Mas, tendo como referência a noite de São Paulo, dificulta se encantar com pouco. De lá fomos para o White Trash, esse, sim, uma mistureba de gente superbacana.

Já entrei em 4 squats, entre eles a Tuntem Haus (Casa das Bichas em alemão). Lá mora em esquema comunidade um grupo de gays comunistas. Lindo o lugar, com letreiros anticapitalistas na fachada. Vários pulos na Neue Schönerhausestrasse, concentração de lojas bacanas – apesar do bloqueio zu kaufen (ai, preciso do namorado para animar as compras!).

Tenho dormido todos os dias com sol gritando – o que não é difícil, já que começa a clarear às 3h30.

Cobri boa parte da noite, não apenas gay – esforço jornalístico extremo. Muita porcaria, parecendo boate gay de cidade do interior brasileiro dos anos 1990. Bacanas são os bares, coisa que falta no Brasil. Bar gay legal, pra sentar em sofá com os amigos, trocar idéias, ouvir música, como o Zum Schmutzigen Hobby. Em Prenzlauer Berg mesmo tinha também um mais fino, o Perle, mas não tão cool.

Schönenberg, o tradicional bairro gay, é pura perda de tempo. Uma coisa antiga, mofada.

Difícil contar a experiência antropológica que são Laboratory e KitKat, dois clubes fetiche, com boa música e muito sexo. Circo puro, cada um de um jeito. O primeiro tipo inferno de Dante em uma locação fantástica, o segundo coisa de turista brincando de maluco, totalmente pansexual.

Preciso mencionar ainda o simpatiquérrimo Botequim Carioca, o Kafee Burger, uma espécie de ALoca, só que tocando polcas, e a experiência bizarra que é o UnSicht – restaurante todo no escuro onde você é servido por garçons cegos.

Nem deu tempo de ir à praia no rio Spree; fica pra próxima.

CONCLUSÃO

As viagens, em todos os sentidos, não param por aqui. Apenas uma pausa forçada para o fechamento do livro ou até a próxima edição.

Há um mundo de gente e lugares interessantes esperando por você. Não só em outros lugares do planeta, mas, muitas vezes, bem ao seu lado.

Basta manter coração e mente abertos para novas experiências.

Este livro, composto em Myriad Pro e Dynamoe, foi impresso pela Gráfica Universal
sobre papel off set 75gr em setembro de 2008